D1351807

LA DAME AUX ŒILLETS

ŒUVRES DE A. J. CRONIN

Chez le même Éditeur :

LES CLÉS DU ROYAUME, roman.
LA DAME AUX ŒILLETS, roman.
SOUS LE REGARD DES ETOILES, roman.
AUX CANARIES, roman.
LA CITADELLE, roman.
TROIS AMOURS, roman.
LE DESTIN DE ROBERT SHANNON, roman.
LE JARDINIER ESPAGNOL, roman.
LE CHAPELIER ET SON CHATEAU, roman.
LES HOMMES PROPOSENT..., pièce en trois actes.
LES ANNÉES D'ILLUSION, roman.
SUR LES CHEMINS DE MA VIE, autobiographie.
LA TOMBE DU CROISÉ, roman.
LES VERTES ANNÉES, roman.
KALÉIDOSCOPE.
ÉTRANGERS AU PARADIS, roman.
LA LUMIÈRE DU NORD, roman.
DEUX SŒURS, roman.
L'ARBRE DE JUDAS, roman.
CONFIDENCES D'UNE TROUSSE NOIRE.
NOUVELLES CONFIDENCES D'UNE TROUSSE NOIRE.
LE SIGNE DU CADUCÉE, roman.
L'EPÉE DE JUSTICE, roman.

Dans Le Livre de Poche :

SOUS LE REGARD DES ETOILES.
LES CLÉS DU ROYAUME.
LE JARDINIER ESPAGNOL.
LE DESTIN DE ROBERT SHANNON.
LES ANNÉES D'ILLUSION.
LE CHAPELIER ET SON CHATEAU.
LES VERTES ANNÉES.
L'EPÉE DE JUSTICE.
LA CITADELLE.
TROIS AMOURS.
L'ARBRE DE JUDAS.

A.-J. CRONIN

La dame aux œillets

ALBIN MICHEL

© *Albin Michel, 1960.*
Tous droits de reproduction en français réservés
pour tous les pays sans exception.

I

Seule, en cette humide journée de novembre, la miniature de Holbein avait pu attirer à la salle Vernon tant d'amateurs et de marchands. Car elle surpassait de beaucoup, en intérêt et en valeur, les autres objets mis en vente. Elle était du reste très connue sous le nom de " La dame aux œillets ". Que la famille Kneller, de Wroxon Abbey, eût accepté de s'en défaire, c'était là un événement tout à fait inattendu. Cette miniature représentait Mlle de Quercy, fille d'un ambassadeur de France à la cour d'Henri VIII. Holbein l'avait peinte en 1532, peu après son retour de Bâle à Londres, et l'on y retrouvait la meilleure manière du maître, à l'époque la plus heureuse de sa féconde carrière.

La longue galerie était pleine à craquer lorsque, à quatre heures et demie précises, la miniature fut mise aux enchères. Les premières offres, lancées sur un ton de politesse cordiale et un peu narquoise, commencèrent à deux mille guinées, et montèrent très vite à cinq mille. Après une légère pause, elles atteignirent sept mille; puis il y eut une nouvelle hésitation. Enfin la compétition se poursuivit à une cadence alternée, signe que seuls deux concurrents sérieux s'affrontent encore. A neuf mille quatre cents un temps d'arrêt se produisit.

— Neuf mille quatre cents guinées!

Le commissaire priseur, qui trônait sur son estrade rouge avec des airs d'obligeante attention, les cheveux bien peignés et une perle soigneusement piquée dans sa cravate, répéta le chiffre sur un ton d'adjuration en fixant son regard sur le visage impassible de Bernard Rubin. L'offre était dirigée contre Rubin; mais celui-ci ne paraissait pas songer le moins du monde à relever le défi. D'un œil à peine visible sous l'aile du chapeau, il fit simplement, en passant un petit signe rageur. Aussitôt le commissaire priseur proclama :

— Neuf mille cinq cents!

Une riposte presque imperceptible jaillit de l'autre côté de la salle.

— Neuf mille six cents! déclara le commissaire priseur d'une voix engageante.

— Neuf mille sept cents!

Saisi d'une secrète colère, Rubin suivait le mouvement; mais, de nouveau, en face, la réplique ne se fit pas attendre.

— Neuf mille huit cents! dit le commissaire en se tournant vers Rubin.

Mais, cette fois, Rubin avait dit son dernier mot. La limite qu'il s'était fixée était dépassée, et sa figure prit une expression d'indifférence stoïque. Son succès dans le commerce des antiquités, le vieux Bernard Rubin l'avait dû justement à la faculté de savoir, à un centime près, quand il devait s'arrêter.

Neuf mille huit cents! répéta le commissaire priseur en jetant un regard interrogateur sur l'assistance.

Personne ne bougea.

— Neuf mille huit cents pour la première... pour la deuxième...

Silence. Fatidique et sonore, le marteau s'abattit.

— Neuf mille huit cents pour la troisième fois! A miss Lorimer.

Catherine Lorimer se leva de sa chaise, derrière la longue table, et, traversant la grande salle à l'architecture pompeuse, se dirigea vers la porte ouverte. Sur son passage, quelques-uns des marchands marmottèrent des félicitations; elle leur répondit par un faible sourire, et ne leur accorda aucune attention. Elle n'aurait vraiment pas su que leur dire.

En dépit d'une énergie acquise au prix de dures expériences, ces dernières secondes lui avaient paru interminables, et après cette cruelle tension, le cœur lui faisait mal. Elle s'était juré d'avoir cette miniature et, si Rubin avait enchéri encore une fois, il l'aurait contrainte à se déclarer vaincue.

Comme elle descendait l'escalier, Bernard Rubin s'approcha d'elle et l'accompagna en silence. Il y avait en lui quelque chose d'énigmatique. Sa voiture, une limousine noire et argent, d'une dimension et d'un luxe extraordinaires — Rubin ne se refusait jamais le plaisir de confier à tout venant le prix qu'il l'avait payée — l'attendait au bord du trottoir. Sur le seuil, ils s'arrêtèrent un instant. Déjà, ils se sentaient repris par la fièvre et le bruit de la rue, par les lumières et le tumulte de Londres, et ils ne gardaient de la salle des ventes, là-haut, qu'une image irréelle et lointaine.

— Prenons-nous par hasard le même chemin? demanda Rubin.

C'était sa manière d'offrir aux gens de les reconduire.

Cinq heures allaient sonner. Catherine décida brusquement de ne pas retourner à son bureau, et de rentrer à la maison. Elle fit signe qu'elle acceptait.

Une bourrasque de pluie la fit frissonner. D'un rapide élan, elle se jeta dans la voiture.

A King Street, on n'avançait presque pas, mais à Picadilly, ce fut pis encore : un grouillement d'autobus et de taxis. A force de s'arrêter et de repartir, ils finirent pourtant par atteindre Curzon Street. Sous les sourcils épais et proéminents, les yeux de Rubin fixaient Catherine avec une expression de ruse et d'ironie.

— Vous êtes montée trop haut, miss Lorimer, murmura-t-il enfin.

— Vous voulez dire trop haut... pour vous, Rubin?
Rubin sourit avec douceur.

— Peut-être, peut-être, concéda-t-il sur un ton nonchalant.

Il se tut un moment pour contempler le magnifique diamant qui miroitait au petit doigt de sa main gauche.

— Vos affaires doivent marcher admirablement, miss Lorimer, pour que vous puissiez payer un prix pareil?

— C'est vrai, elles ne vont pas mal, répliqua Catherine de sa voix la plus naturelle.

— Parfait! J'en suis très heureux! Étonnant! D'autant que nous autres, commerçants en œuvres d'art, nous nous trouvons dans une situation bien déprimante. Pas d'argent, pas de clients, pas de travail. Et vous, vous arrivez, et vous offrez tout simplement dix mille guinées pour un minuscule Holbein! Mes compliments. C'est presque trop beau pour être vrai.

Les lèvres de Catherine s'entrouvraient déjà pour la riposte, mais elle préféra se taire. Elle sourit seulement, d'un sourire léger et contenu, qui créait autour d'elle comme une barrière de silence, et, le regard au loin, elle se renversa dans son siège. L'expression résolue qui ne la quittait jamais s'affirmait ainsi de façon plus frappante. Sous son apparence de calme se devinait pourtant une nature singulièrement impulsive, toujours prête à l'élan, et dans ses yeux sombres passaient des éclairs fugaces qui trahissaient une vitalité sans cesse jaillissante. En même temps, son visage était empreint de mélancolie, et la ride qui coupait son haut front dénonçait de lourds soucis et de longues peines. Elle avait des traits fins, un teint clair, de beaux cheveux châtains, des yeux bruns et chauds, un visage ovale et pâle. Ses dents étaient si blanches qu'elles illuminaient de fraîcheur le plus furtif de ses sourires. Elle n'avait pas plus de trente-cinq ans. Ses attitudes tranquilles, sa gravité songeuse et la façon dont elle contrôlait tous ses gestes, trahissaient quelque chose d'impénétrable et de presque inquiétant.

Sa robe était de laine foncée, très simple, visiblement choisie à la hâte et sans soin. Son chapeau, qu'elle portait un peu rejeté en arrière, était sans élégance. Il était évident qu'elle n'attachait aucune importance à sa mise. Seuls, les souliers, faits sur mesure et d'un cuir très fin, révélaient la petite vanité qu'elle pouvait éprouver à considérer ses pieds, qu'elle avait fins et jolis.

— Naturellement, observa astucieusement Rubin, si vous pouvez compter sur un bénéfice sûr de, disons, dix pour cent, et surtout sur un paiement rapide, en bon argent comptant...

Catherine hocha brusquement la tête.

— Grand merci, Rubin! Si je me suis acharnée sur ce Holbein, c'est que je compte en tirer un beau bénéfice.

— Un beau bénéfice? Est-ce que ça se trouve encore? Ici, en tout cas, difficilement. Non, pas ici, ricana-t-il en parodiant une chanson populaire :

Ici, tu ne le trouveras pas...

— Possible, avoua Catherine, mais écoutez-moi, Rubin, et cessez de me taquiner. Le mois prochain, j'emporte la miniature à New York et je la vends à Brandt. Il est actuellement en Argentine, mais le 12 décembre, il sera de retour. Il m'achètera le Holbein et il m'en donnera vingt mille livres.

— Ah! Ah! c'est donc Brandt? observa Rubin avec une intonation respectueuse. Vous êtes une femme de tête, mais, à vous parler franchement, ma chère, moi je n'aurais pas couru un pareil risque.

— Je puis me l'offrir, répliqua Catherine, sur un ton cordial.

— Tous mes respects.

Rubin fit une petite révérence.

— Bien entendu, vous connaissez vos possibilités mieux que moi.

Il la dévisagea de nouveau avec une insistance curieuse à laquelle se mêlait un sentiment d'involontaire déférence. Mais elle avait repris son expression sérieuse et tranquille, voulant sans doute indiquer par là que cette conversation avait assez duré. Ils se turent donc jusqu'au moment où Rubin, qui désirait évidemment ne pas la laisser sur le sentiment d'une indiscrétion, trouva un autre sujet de conversation :

— Comment va votre nièce, Nancy Sherwood, la petite actrice?

Catherine changea aussitôt de visage, et ses traits exprimèrent la plus vive tendresse.

— Tout à fait bien! Elle vient justement de se fiancer.

— Parfait. Et quel est l'heureux mortel?

Catherine pinça les lèvres.

— Je l'apprendrai aujourd'hui. Je suis invitée à une soirée pour faire sa connaissance. Mais je vous demande un peu... Quelle drôle d'époque! Dans ma jeunesse, les choses se passaient autrement...

— Mais, ma chère, vous êtes encore jeune! interrompit Rubin avec chaleur.

— Merci beaucoup! Vous savez ce que je veux dire... Voilà Nancy qui part deux semaines pour Nice, afin de se reposer un peu avant de jouer son nouveau rôle, et elle nous ramène son futur époux comme s'il s'agissait d'un sac à main qu'elle vient d'acheter!

— Oui, oui, aujourd'hui, ça va vite, dit Rubin en riant, mais au fond, c'est bien toujours la même chanson.

Lorsque la voiture tourna dans Curzon Street et s'arrêta devant la maison de Catherine, Rubin tenta une dernière petite ruse.

— Ainsi vous auriez un placement tout trouvé pour le Holbein?

Il lui tapotait la main pendant qu'elle se levait.

— Si vous n'arriviez pas à vous en débarrasser, ajouta-t-il, cela ferait peut-être un superbe cadeau de noces?

Ces paroles ironiques résonnaient encore aux oreilles de Catherine lorsqu'elle rentra chez elle. Elle habitait dans le voisinage un luxueux immeuble moderne. La splendeur froide de l'édifice offensait son goût, mais le quartier lui convenait pour ses affaires, et son métier exigeait une adresse flatteuse. Le portier lui ouvrit la porte et l'accompagna jusqu'à l'ascenseur. Un second domestique, tout aussi galonné que le premier, la conduisit ensuite au sixième étage, où il prit congé d'elle.

D'origine modeste, et menant une existence très simple, Catherine s'amusait encore de toute cette mise en scène, et elle éprouvait souvent une joie enfantine devant l'appareil pneumatique qui lui apportait son courrier et devant les bas blancs des valets de pied. Mais ce soir-là, elle était complètement absorbée par ses pensées. Les sourcils froncés, elle se remémorait les propos de Rubin et se demandait jusqu'à quel point le vieux renard était au courant de ses difficultés financières. Enfin, avec un soupir, elle s'avoua qu'il ne pouvait sans doute rien savoir de précis, mais qu'il avait lieu de lui prêter de graves difficultés.

À l'instant même où elle franchit le seuil de son appartement, ses traits se détendirent, et elle parut tout à coup triste et soucieuse. Elle songeait à la dure journée qu'elle venait de vivre. Après une laborieuse et stérile discussion avec un client, elle avait à peine trouvé le temps de déjeuner. Puis il y avait eu l'exaltation des enchères. Elle avait maintenant un violent mal de tête qui lui donnait le vertige, et un frisson secoua son corps surmené. D'un geste nerveux, elle arracha son chapeau et le jeta, avec ses gants, sur le divan. Ensuite, elle gagna sa petite cuisine pour préparer du thé, et pour se faire cuire un œuf.

Un quart d'heure plus tard, devant la théière et le coquetier vides, elle mesura subitement le néant de son existence. Quatre cents livres par an, rien que pour le loyer de son appartement, puis six cents autres pour son local d'affaires. Elle venait encore d'en donner dix mille pour une simple miniature. Et son dîner ne lui avait pas coûté quatre pence. Brusquement, elle éclata de rire, jusqu'au moment où ses yeux se remplirent de larmes. C'étaient des larmes amères, et si elle leur avait donné libre cours, elle se serait effondrée sur elle-même en sanglotant.

Elle rentra dans sa chambre. La pièce était tranquille et ne contenait que quelques meubles choisis avec goût. Retirant ses chaussures, elle se jeta dans un fauteuil et alluma une cigarette. Elle fumait rarement, seulement quand elle était très heureuse ou très triste; et ce soir-là, elle se sentait totalement abandonnée. Ces derniers temps, ses affaires avaient très mal marché. Dans le commerce des antiquités, il se fait un mouvement incessant de flux et de reflux. Comme les autres, elle avait connu la prospérité; maintenant elle se retrouvait au plus bas, et n'avait plus guère d'espoir. Certes, elle continuerait à lutter courageusement. Elle s'était déjà imposé toutes les restrictions possibles. Ne pouvant pas économiser sur ses deux loyers, elle avait renoncé à sa voiture et fait le sacrifice de tout ce qui n'était pas strictement indispensable. Cependant, la situation allait sans cesse en empirant.

Crânement, elle s'interdit de penser plus longtemps à ses embarras d'argent. Elle aurait tout le temps pour cela lundi, lorsqu'elle aurait son entrevue à la banque avec M. Farrer. Pour le moment, sa tristesse avait des causes plus profondes et plus intimes. Elle se sentait si affreusement seule! Aux yeux de ses amis les plus proches et de ses parents, aux yeux de tout le monde, sa vie avait été un succès. Elle évoquait le temps de ses débuts, se revoyait, jeune fille de dix-sept ans, alors qu'elle venait de quitter l'école, dans la maison à moitié vide de Tulse Hill. Elle n'était alors qu'une timide petite dactylo chez Twiss & Wardrop, articles de fer en gros, Duck Court, High Holborn. Dans ce bazar de catégorie supérieure, on lui avait accordé une place d'apprentie, parce que son père connaissait l'un des propriétaires, comme lui fervent des choses de l'Église. Mais malgré cette recommandation, chaque fois que M. Twiss lui adressait la parole ou que M. Wardrop fronçait le sourcil, elle était prise de tremblements.

Depuis lors, sa vie avait bien changé. Elle dirigeait maintenant la maison Antica, de King Street, St. James, et de Park Avenue à New York, et elle était réputée pour son goût et sa compétence. On la considérait comme une spécialiste dans les installations de styles anciens, dans toutes les questions touchant aux arts décoratifs et à la peinture.

Peut-être bien était-elle, de toutes les femmes du monde entier qui font commerce d'antiquités, la plus connue? Tout cela, pourtant, n'éveillait en elle que de sombres pensées. Si elle avait réussi, c'est qu'elle était douée d'une volonté de fer, qu'elle avait serré les dents, et résolument tout sacrifié. Pour faire sa carrière elle avait imposé à son jeune cœur craintif la discipline la plus sévère et les plus dures privations. A tout prix elle avait voulu arriver, devenir quelqu'un. Elle avait maintenant atteint son but et son orgueil était satisfait. Mais hélas! comme tout, en fin de compte, lui semblait creux et vain...

A ses côtés, le téléphone sonna. D'un geste las — car l'un des tourments de sa vie était d'être ainsi sans cesse à la merci de cet instrument — elle décrocha l'écouteur. C'était sa mère qui l'appelait, de la confortable petite villa que Catherine lui avait installée cinq ans auparavant à Wimbledon.

— Te voilà enfin, Catherine!...

Même au bout du fil, la vieille Mme Lorimer prenait aussitôt le ton de reproche d'une femme abandonnée.

— Par quel miracle ai-je le bonheur de te trouver? Toute la journée, j'ai cherché à t'atteindre. Tu sembles n'avoir jamais le temps d'échanger quelques mots avec ta vieille maman, jamais!

— Mais ne t'ai-je pas appelée hier soir encore? demanda Catherine avec indulgence.

— Oui, et quand même..., répliqua la vieille dame d'un ton chagrin. Allô, allô! M'entends-tu?

— Oui, mère, je t'entends.

— Bon, mais ne t'en va pas! j'ai une quantité de choses à te dire. Attends un instant. J'avais tout noté. Où sont mes lunettes? Ah, je les ai sur le nez! Donc, pour commencer, tu viens ici pour le week-end avec Nancy et son fiancé?

— Oui, probablement...

— Bien, ma chère. Maintenant, écoute. Je voudrais que tu m'apportes quelques bagatelles, de la laine, des amandes pralinées, des gâteaux au chocolat et un joli roman nouveau. Pense surtout aux amandes pralinées, Catherine! Oui, et pendant que nous y sommes, achète-moi aussi de la pâte d'anchois. J'aime tant ça sur du toast! C'est si bon, les soirs d'hiver, avec du thé, au coin de la cheminée. Écoute encore, Catherine... Tu m'entends? La laine triple dont j'ai besoin pour mon nouveau châle, j'ai failli l'oublier...

Catherine, qui prêtait l'oreille avec patience, sourit légèrement.

— Très bien, maman, tes ordres seront exécutés.

— Des ordres! Voyez-vous ça!

Aussitôt la voix reprit son ton pleurnichard :

— Je te demande quelques babioles et, tout de suite, tu te rebiffes. Vraiment, Catherine, la façon dont tu traites ta vieille mère dépasse les bornes. Si ton pauvre père vivait encore!...

L'habituelle allusion au tombeau paternel fit sursauter Catherine.

— Allons, mère, interrompit-elle vivement, tu m'as mal comprise.

Il y eut une pause.

— Tu ne m'en veux pas?

— Mais non, maman.

— Bien.

Un petit soupir de soulagement passa par le fil.

— C'est d'ailleurs normal. M'entends-tu?... Allô, cette sotte demoiselle du central nous coupe toujours! Bonne nuit donc. Que Dieu te garde, ma chérie! Et n'oublie pas les amandes pralinées...

Catherine reposa l'écouteur avec un hochement de tête. Bien que sa mère fût devenue plus traitable depuis qu'elle avait sa maison à elle et tout ce dont elle pouvait avoir besoin, elle souffrait d'une idée fixe, celle d'être une perpétuelle victime. Elle aimait à se plaindre, et à force de jérémiades, elle atteignait souvent la limite du supportable.

Mais, jetant un coup d'œil rapide sur sa montre, Catherine bannit résolument de son esprit toutes ses préoccupations. Rassemblant son énergie, elle passa dans la salle de bains et tourna les robinets. Bien qu'elle n'eût pas du tout le désir de sortir, elle ne voulait pour rien au monde décevoir Nancy. Prestement elle retira ses vêtements, et se plongea dans l'eau. Tandis que son corps revivait dans la claire chaleur du bain, elle songeait à sa nièce, et insensiblement les rides s'effaçaient de son front pendant qu'un sourire de tendresse s'épanouissait sur ses lèvres. Elle adorait Nancy, la fille de sa sœur aînée Grâce qui s'était mariée, contre la volonté de leur mère, avec Joe Sherwood. Grâce avait connu avec Joe quinze années de bonheur. Mais, conformément à une sombre prédiction depuis longtemps oubliée, tous deux avaient trouvé une mort obscure et soudaine dans un accident d'automobile, sur une route de campagne. Depuis ce triste jour, Catherine s'était chargée de Nancy qui n'était alors qu'une faible créature de quatorze ans. Elle l'avait comblée de sa sollicitude, lui avait fait suivre une école d'art dramatique, et, cédant à ses instantes prières, lui avait enfin permis, douze mois auparavant, de monter sur les planches. Dans son débordement d'affection, Catherine en voulait à tous ceux qui se permettaient de laisser entendre qu'elle gâtait sa nièce par excès d'indulgence. Pour elle, Nancy était la plus gentille et la meilleure jeune fille du monde, et rien n'était assez beau.

Il était étrange de penser qu'elle était maintenant une grande personne, et qu'elle revenait de la Côte d'Azur pour annoncer froidement qu'elle était fiancée. C'était pourtant ce qui pouvait lui arriver de mieux, justement, de se marier, de se créer aussi vite que possible un foyer, et de passer les meilleures années de sa vie entre un époux et des enfants. Il n'y avait rien que Catherine lui souhaitât plus ardemment, et elle le lui souhaitait ce soir-là avec plus de ferveur que jamais.

En sortant de la baignoire, elle frictionna vigoureusement sa belle peau blanche. Elle était reconnaissante envers ce corps plein de santé, auquel elle devait d'avoir supporté les fatigues et les épreuves des dernières années.

Elle s'habilla plus lentement que de coutume, choisissant une robe qu'elle avait achetée lors de son dernier voyage à Paris. En général, elle ne se souciait guère de sa toilette. Elle estimait qu'elle n'avait pas le temps ni de raison spéciale de se mettre en frais d'élégance; et parfois même elle adoptait une tenue négligée qui faisait sourire, car on voulait y voir une manifestation d'originalité de la part d'une femme riche et comblée de succès. Elle voulait être belle pour Nancy.

A huit heures et demie, elle était prête, et devant l'étroit miroir de Vauxhall qui surmontait sa table de toilette, elle constata que, malgré les traces de fatigue qui marquaient son visage, elle n'était vraiment pas déplaisante à regarder. Quelques petites ombres soulignaient ses yeux, mais son teint, que ne rehaussait aucun fard, était clair et frais. La belle couleur de ses lèvres, qui tranchait sur l'éclatante blancheur des dents, révélait un sang pur et vigoureux.

Dehors, la pluie avait cessé de tomber. L'asphalte, séché par une légère brise, invitait à la marche. Il n'y avait rien que Catherine aimât autant que de s'en aller à pied par les rues tranquilles, mais, songeant à ses souliers de soirée, elle résista à la tentation. Elle prit donc un taxi pour se rendre à Adelphi, où Nancy habitait au dernier étage d'une vieille maison, dans le voisinage de John Street.

Il n'y avait pas d'ascenseur dans cet immeuble qui abritait surtout des bureaux et, tandis qu'elle gravissait l'escalier, Catherine percevait déjà la rumeur des voix. Lorsque la jolie femme de chambre de Nancy l'eut introduite, et que le valet spécialement engagé pour la circonstance l'eut débarrassée de son manteau, les deux pièces en enfilade étaient déjà pleines de monde et tout envahies par la fumée et le bruit.

A peine Catherine avait-elle fait quelques pas, que Nancy se précipita à sa rencontre, et l'embrassa avec beaucoup d'effusion.

— Oh, Catherine, s'écria-t-elle, que je suis heureuse de te revoir! Tous ces jours-ci, je me suis tellement ennuyée de toi!

Catherine sourit.

— Mais, pourquoi alors ne m'as-tu pas fait une petite visite? Tu es pourtant de retour depuis mercredi?

— Je serais volontiers venue, chérie, mais tu ne peux pas t'imaginer combien je suis prise par les répétitions et les essayages, et par Chris, et par tout le reste!

— Je m'en rends compte.

Catherine examina tendrement Nancy. Comme elle était ravissante ce soir! Bien qu'elle eût à peine vingt-quatre ans, sa beauté svelte et racée avait déjà atteint son parfait épanouissement. Son visage était gracieux, mais précis, avec de hautes pommettes, des yeux bleus et obliques et de minces sourcils relevés. Ses cheveux, décolorés à la dernière mode, chatoyaient comme de l'or filé. Sa bouche étroite était écarlate, car elle n'avait pas épargné le fard. Sous une apparence de nonchalance, une vivacité électrisante animait son corps délicat.

— Sais-tu, dit Catherine avec une sévérité jouée, que j'avais toujours cru que ton art te tenait lieu de mari?

Nancy éclata de rire.

— C'est bien vrai, mais cela ne m'empêchera pas d'épouser Chris.

— Voyez-vous ça, riposta Catherine dans un sourire, et en jetant un regard autour d'elle. Mais où est Chris?

— Quelle bonne farce! Tu te perds toujours parmi mes amis. Je parie, chérie, que tu ne le reconnaîtras pas!

— Si c'est un gentleman, observa Catherine d'un ton amusé, ce serait à lui, il me semble, de me distinguer!

Au même instant, plusieurs visiteurs firent leur entrée. Après une espièglerie à l'adresse de Catherine, Nancy s'empressa au-devant d'eux. Catherine se dirigea vers le buffet et s'installa dans un fauteuil près d'un plat de tartines au caviar. Elle était trop avisée pour se mêler tout de suite à l'assistance, et préférait d'abord manger un sandwich. Elle avait une extraordinaire assurance, qu'elle devait moins à la fréquentation du monde — dont elle avait pourtant l'habitude — qu'à sa parfaite simplicité naturelle. Elle aimait la compagnie, mais la remarque de Nancy était juste; et la plupart des amis que sa nièce avait réunis, ce soir, lui étaient totalement étrangers. Elle crut en reconnaître un ou deux, le jeune acteur David Almoner, qui jouait des rôles de Shakespeare, et sa femme, Nina George, la pianiste, le photographe Arnold Rigby, John Harris, le directeur dramatique de la Radio de Londres, puis Tony Ulrick, dont les poèmes comiques, illustrés par lui-même, avaient un grand succès, bien que Catherine pour sa part les trouvât assez fades. Mais la majorité des visages ne lui disait absolument rien. Elle but un verre de champagne et grignota un sandwich. Le buffet était excellent. Elle appréciait d'autant plus ces friandises qu'en général elle ne pouvait se les offrir.

Les nouveaux arrivants se succédaient sans arrêt. David Chesham, l'auteur de la pièce *Nuit de lune en Arcadie*, dans laquelle Nancy devait paraître, fit son entrée, suivi de près par Sam Bertram, le célèbre Bertie qui éclipsait tous les autres entrepreneurs de spectacles. Tous deux furent accueillis par Nancy avec des explosions de joie. Bertram fit à Catherine un petit signe où se lisait une profonde amitié, et qui signifiait qu'il ne tarderait pas à aller lui tenir compagnie. Elle lui répondit par un sourire. Elle connaissait Bertie depuis quelques années, lui fournissait souvent la décoration nécessaire à une mise en scène, et appréciait sa robuste nature et sa jovialité de bon Écossais.

Le bruit allait grandissant. Au milieu du tumulte, Ulrick récita l'un de ses poèmes, tandis que Nina George improvisait sur le piano un accompagnement humoristique. Catherine commençait à être excédée lorsque soudain une voix s'éleva à ses côtés, qui se détachait sur toutes les autres par son ton calme et, aussi, par son accent américain.

— Il me semble que nous sommes ici les deux seuls êtres raisonnables.

Elle se retourna, surprise. Un homme mince et un peu pâle se tenait debout près d'elle, dans une attitude nonchalante, les mains dans les poches, et répondait à son regard curieux par un sourire plein de malice.

Il était brun et bien bâti et pouvait avoir trente-cinq ans. Une fine cicatrice blanche coupait la lèvre supérieure un peu longue, et donnait à son visage étroit une expression d'entêtement et de froideur. La tranquille assurance que révélaient ses paroles déplut à Catherine.

— Voulez-vous dire que je suis du nombre? demanda-t-elle en haussant légèrement les sourcils.

— A moins, répliqua-t-il, que cela ne vous convienne pas...

— Alors vous seriez ici l'unique et dernier représentant d'une humanité sage et souffrante...

Il se mit à rire, et une discrète gaieté apparut dans les petites rides qu'il avait tout autour des yeux.

— Je suis cloué, miss Lorimer. Il me semble que vous avez encore plus d'esprit que Nancy ne le raconte. Et à l'entendre, vous en avez beaucoup.

Catherine fut stupéfaite.

— Vous ne voulez pas dire que vous...

— Eh oui! dit-il avec une inclination de tête et un petit rire sec. Je suis Chris Madden. Voyons, ne faites pas cette mine renfrognée! Je sais bien que je ne suis guère digne de Nancy, mais je ferai d'immenses efforts pour le devenir.

D'un geste mécanique, Catherine prit la main qui se tendait vers elle, et chercha à se ressaisir.

— Que je suis sotte! s'écria-t-elle. Mais je ne me serais pas attendue à ce que Nancy épousât un Américain...

— Oui, et moi, ajouta-t-il toujours de la même voix tranquille, je n'aurais jamais pensé que je finirais par prendre pour femme une Anglaise.

Catherine dut s'avouer que la leçon n'était pas tout à fait imméritée. Elle rougit et l'examina à la dérobée. Avec beaucoup d'aisance et de flegme, il poursuivit :

— Oui, voyez-vous, tout arrive autrement qu'on ne l'avait prévu. Lorsque j'ai rencontré Nancy à Nice — mon Dieu ! je n'oublierai jamais cet instant : il faisait un beau soleil, rien qui ressemblât à votre brouillard d'ici, miss Lorimer — j'en perdis le souffle.

Il hésita et retrouva son calme.

— Oui, dit-il encore, cela s'est passé pour nous comme cela s'est régulièrement passé depuis Adam et Eve.

— C'est donc une vraie idylle...

Le ton sur lequel il avait prononcé ces paroles, qui avaient l'air d'être une sorte de déclaration, était si peu convaincant que Catherine avait mis dans sa réponse une pointe de doute et presque d'hostilité. Peut-être était-elle un peu jalouse de Madden. Elle pinça un peu les lèvres, et ses regards le toisèrent de nouveau. C'était un second examen, plus sévère encore que le premier, et elle observa son costume, qui ne rappelait en rien les élégances du West End, puis son linge, qui, de toute évidence, était loin d'être neuf. Ses yeux s'amincirent. Toute sa sollicitude pour Nancy se réveilla.

— Et que faisiez-vous à Nice, monsieur Madden?

— Eh bien, je prenais quelques vacances. C'était la première fois depuis longtemps. J'avais visité Rome, Florence et Venise, et brusquement j'ai eu la nostalgie de la France. Je ne l'avais pas revue depuis vingt-deux ans, depuis la guerre. Cela fait bien des années, et pourtant lorsqu'on y pense, elles ont fui si vite!

— Certes, dit Catherine avec indifférence, le temps trompe toujours. Pensez-vous passer ici beaucoup du vôtre, monsieur Madden?

— Cela dépend de Nancy, miss Lorimer. J'aimerais que nous puissions nous marier le plus tôt possible. Mais elle a tant à faire avec son théâtre! Son rôle dans la nouvelle pièce la tracasse beaucoup. La première représentation doit avoir lieu dans deux semaines à Manchester, et elle passe ses journées en répétitions et en préparatifs. Tant que cela durera, je resterai près d'elle, puis je tâcherai de la persuader de venir avec moi en Amérique.

— Tout cela me paraît un peu précipité, monsieur Madden, ne trouvez-vous pas?

Catherine eut un sourire glacé.

— Nous aimons tous Nancy, et, quant à moi, je lui suis profondément attachée...

— Oh, je le sais! répliqua-t-il en lui coupant la parole. Nancy m'a tant parlé de vous. Vous avez été tout simplement admirable pour elle.

— Appelez ça comme il vous plaira; le bonheur de Nancy, pour moi, c'est tout. Vous comprendrez donc que je désire savoir un peu qui est l'homme qu'elle va épouser.

Il parut se replier sur lui-même, et son visage prit une expression dure.

— Je suis à votre disposition, répondit-il avec un regard de côté.

Il y eut un silence. Catherine détourna les yeux, car elle sentait que sa vivacité avait dû froisser Madden, et elle se reprochait en même temps son impatience. Mais, se demandait-elle avec énervement, comment aurait-elle pu agir autrement? Elle en voulait un peu à Nancy de l'avoir tenue ainsi dans l'ignorance. Elle s'était attendue à trouver un homme tout différent, un homme dont elle n'aurait pas eu de peine à déchiffrer les pensées et la vie. Cet étranger, cet Américain débraillé, qui s'imposait à elle avec tant de sans-gêne, il lui inspirait, non pas de l'antipathie, mais une sorte de méfiance que, pour l'amour de Nancy, elle devait approfondir. Plongée dans ces méditations, elle se sentait assez mal à l'aise auprès de lui, lorsque Nancy s'approcha d'eux et leur adressa un sourire rayonnant.

— Je suis contente de voir que vous avez déjà fait connaissance. Maintenant que tu sais le pis, Catherine, que penses-tu de lui? N'est-il pas affreux?

Madden regarda Nancy, et son visage retrouva son animation.

— Je crains, en effet, qu'elle ne me trouve affreux. Ce qu'il y a de plus bête, c'est que je n'étais pas préparé à découvrir une miss Lorimer si jeune et si jolie, et qu'elle, de son côté, ne s'attendait pas à avoir affaire à un personnage aussi mal dégrossi. Je dois t'avouer que nous n'avons pas encore fini de nous disputer.

— Elle est terriblement hautaine, dit Nancy, mais quand on la connaît mieux, elle n'est pas si terrible.

Catherine eut un sourire forcé. Elle se sentait à bout de nerfs.

— Sérieusement, chérie, poursuivit Nancy, j'aimerais que tu t'entendes bien avec Chris. Tu ne le croiras pas, mais il gagne à être vu de plus près. Tu t'en rendras compte si nous allons samedi à Wimbledon.

— Très bien, alors, je suis prête à tout, répliqua Catherine avec une nuance de sarcasme assez surprenante chez elle.

— En tout cas, tu es avertie, conclut Nancy d'un air de confiance heureuse. Et maintenant, venez, tous les deux, et amusons-nous!

Mais, bien qu'elle se donnât beaucoup de peine pour se dominer, Catherine n'arrivait pas à se mettre à l'unisson. Une heure plus tard, elle rentra chez elle. Elle éprouvait une étrange sensation d'insécurité et de malaise.

II

Le samedi arriva. Un vent humide et froid soufflait en bourrasque au coin des rues. Le temps, depuis quelques jours, était très mauvais, et Nancy s'était enrhumée. Elle gardait le lit, et il lui était interdit de se lever tant que la fièvre ne serait pas tombée. Elle insista cependant pour que Madden fût exact au rendez-vous et allât passer une soirée au moins à Wimbledon. Ainsi il ne perdrait pas son temps à errer, chez sa fiancée, d'un siège à l'autre. Il n'avait d'ailleurs rien à faire à Londres.

Catherine, qui n'était pas très contente de la tournure prise par les événements, retarda le plus possible l'heure du départ. Il était déjà presque quatre heures lorsque, de son bureau, elle téléphona à Madden pour lui dire qu'elle était prête. Sans doute avait-il attendu qu'elle lui fît signe, car, quelques minutes plus tard, il arrivait à King Street. Catherine avait loué là les deux premiers étages d'un étroit immeuble dont la façade se déployait en arc de cercle, et qui donnait par-derrière sur une cour au pavé raboteux, où l'on pénétrait par une vieille ruelle jalonnée de bouteroues et de vénérables becs de gaz. C'était un cadre idéal pour une activité comme la sienne et elle s'était appliquée avec une véritable tendresse à le mettre en valeur. La décoration extérieure, d'un goût très sûr, évoquait l'époque des George. On y aurait vainement cherché une réclame ou une pancarte, et l'étroite plaque de cuivre fixée sur le soubassement de couleur rouge portait cette simple inscription : *Antica Ltd.*

A travers les vitres aux tons opalins, on distinguait une vaste pièce à boiseries, harmonieusement ordonnée, où la sombre patine des meubles de noyer de style reine Anne tempérait le lourd éclat des brocarts du XVIIIe siècle.

A l'étage supérieur, où l'on accédait par un large escalier dont la rampe sculptée était d'une courbe très belle, Catherine avait installé son bureau particulier. C'était un long local clair, avec une cheminée, et, au milieu, un gros secrétaire carré. Dans un coin, un coffre-fort. Par terre, un précieux tapis de Perse, et çà et là, pendues aux murs dans des cadres, quelques esquisses aux tons vifs. L'une des spécialités de Catherine était en effet l'établissement de projets pour la restauration de vieilles maisons. Elle s'était fait ainsi une réputation particulière. A maintes reprises, elle avait procédé à la transformation intérieure de vastes demeures seigneuriales anglaises, et elle en avait tiré de beaux profits. D'autre part, elle n'était pas une simple marchande de meubles et évitait de s'encombrer de pièces hétéroclites. Elle n'en conservait en dépôt qu'un petit nombre, choisies avec soin. Elle n'achetait qu'après mûre réflexion, et dans un but bien défini. La sûreté de son goût constituait son meilleur capital. C'est ce flair particulier qu'elle avait de pressentir l'utilisation d'une œuvre d'art qui l'avait incitée à acquérir la miniature de Holbein, qu'elle comptait vendre à la fameuse galerie Brandt à New York.

Quatre heures sonnaient à la vieille pendule de laque lorsque Madden entra dans le bureau. Catherine alla aussitôt au-devant de lui et lui tendit la main. Depuis leur rencontre chez Nancy, elle avait réfléchi, et obéissant à sa loyauté native, elle avait résolu de surmonter ses préventions à l'égard de Madden et de lui accorder au moins une chance.

— Comment va Nancy? demanda-t-elle.

— Pas trop bien, répondit-il. Elle doit garder le lit et la fièvre n'est pas tombée. Mais elle a quand même tenu à ce que je vienne.

Catherine fit signe qu'elle était au courant.

— Elle m'avait avertie par téléphone. Je regrette de vous avoir fait attendre.

— Sans importance, miss Lorimer. J'ai si souvent attendu Nancy au théâtre que j'en ai pris l'habitude. C'est pour moi aussi un changement d'avoir le temps, et de n'avoir pas à économiser les secondes. Je parie qu'à la fin, j'y prendrai plaisir !

Tandis que Catherine enfilait ses gants, il détailla l'installation du bureau d'un long regard tranquille où se lisait la curiosité d'un connaisseur.

— Bien joli, tout cela. Laissez-moi vous dire que ces choses me plaisent énormément, et surtout ce merveilleux tapis.

— Oui, répliqua Catherine.

D'un ton prévenant, elle ajouta :

— C'est un persan du XVIIIe siècle. L'ouvrier qui en a noué les fils y a, paraît-il, travaillé dix ans. Et toutes ces couleurs, ce sont de vieilles teintures végétales...

— Naturellement, acquiesça-t-il, c'est un Kirman de Laver, n'est-ce pas ?

Catherine le considéra, un peu étonnée. Il fallait une réelle compétence pour reconnaître non seulement la province, mais le lieu d'origine du tapis, qui venait précisément de Laver.

— Vous vous y connaissez en antiquités ? demanda-t-elle curieusement.

Il répondit avec beaucoup de sérieux.

— Non, pas le moins du monde, ou du moins pas ainsi que vous l'entendez. Mais je m'y intéresse et je tâche de m'y retrouver un peu. J'ai lu pas mal de choses, et, en Europe, j'ai couru bien des musées. Il y a ainsi des domaines que notre civilisation américaine ignore, comme les tapis de Perse et les vieux meubles italiens. Oui, et puis naturellement, si cela ne vous contrarie pas, la salade à la française...

Il éclata de rire.

— Pour ce qui est de la préparation de la salade à la française, je suis un spécialiste...

— Voyez-vous ça ! dit Catherine.

Elle se sentait de plus en plus décontenancée devant les aspects imprévus de cette personnalité, dont elle devait reconnaître l'originalité. Les pensées les plus contradictoires lui passaient par l'esprit, et tandis qu'elle descendait l'escalier elle se sentait envahie par une sensation d'amertume qui n'était pas sans agrément.

Dans la rue, un cabriolet bleu les attendait.

— J'espère, expliqua-t-il rapidement, que cela vous convient. Nancy m'a dit que vous aviez renoncé à votre voiture et j'ai amené celle-ci.

— Est-ce la vôtre?

— Mais non, répondit-il tout surpris. Je l'ai louée.

Malgré elle, Catherine serra les lèvres.

— Elle n'en a pas moins un petit air de richesse..., murmura-t-elle avec une pointe de moquerie.

Au moment même où elle les prononçait, elle regretta ses paroles, mais il ne réagit pas et fit comme s'il n'avait rien entendu.

L'auto roulait doucement, le conducteur connaissait bien sa route. Il traversa le parc St. James, puis suivit les quais de la Tamise, sur les flots de laquelle le soleil couchant répandait une douce brume dorée. Madden se penchait un peu en avant, son chapeau mou écrasé entre ses genoux, et contemplait avec une attention soutenue le paysage qui défilait devant leurs yeux.

— C'est si attachant pour moi, remarqua-t-il enfin. Ce spectacle est si différent de celui de Cleveland, et je suis complètement fasciné.

— Il y a bien des choses qui vous fascinent, monsieur Madden.

Il hésita à répondre.

— Certes. Je vois que je vous fais l'effet d'un être mal dégrossi, mais que voulez-vous, depuis quinze ans, j'ai tant travaillé que je n'ai pas pu penser à souffler. Après la mort de mon père, à l'époque de la guerre, j'ai traversé une période très dure. Puis j'ai commencé à remonter la pente et j'ai dû me cramponner pour ne pas tomber. Vous ne pouvez pas vous imaginer, miss Lorimer, la situation d'un homme que le travail prend à la gorge, qui en vient à ne plus pouvoir admirer un coucher de soleil et qui n'a jamais le temps, si j'ose dire, de faire la connaissance d'une jeune fille comme Nancy.

— Si, je comprends très bien.

Une lueur de sympathie passa dans les yeux de Catherine, mais elle se ressaisit aussitôt et ajouta :

— J'espère que vous ne serez pas déçu de ce que vous verrez pendant ce week-end.

— J'aime à faire de nouvelles connaissances. Et puis, il s'agit des parents de Nancy et des vôtres.

Il prononça ces derniers mots sur un ton de parfaite aisance. Catherine, au contraire, eut un sourire embarrassé.

— C'est pourquoi je me vois dans l'obligation de vous prévenir. Peut-être nous trouverez-vous un peu simples, ma mère et moi. Nous appartenons à la classe moyenne, monsieur Madden, et nous sommes désespérément petits bourgeois. Ne vous laissez pas induire en erreur par le luxe de mon installation. Je suis parfois en relations d'affaires avec les grands de ce monde, mais je n'oublie pas que j'ai commencé ma carrière comme dactylo, à quinze shillings par semaine. J'emportais mon déjeuner dans un sac de papier. Et, croyez-moi, je n'ai pas beaucoup changé.

— Vrai?

Se tournant vers elle, il vit qu'elle parlait très sérieusement.

— Eh bien! déclara-t-il, vous commencez à monter dans mon estime.

Elle ne put s'empêcher de rire à cette réponse proférée sur un ton d'extrême dignité. Au moins, pensa-t-elle, il a le don de l'humour, ce qui arrange bien des choses. Pourtant sa méfiance n'avait pas désarmé. Avec l'intuition qui lui était propre, il s'en rendit compte; après une pause, il poursuivit avec calme :

— Cela vous gêne, n'est-ce pas, miss Lorimer, de ne rien savoir de moi?

Pour des raisons qui lui échappaient à elle-même, elle rougit.

— Je vous en prie, dit-elle en reprenant son sérieux, comprenez-moi bien. Je ne pense pas aux choses extérieures.

Je pense à l'homme lui-même, à l'homme qui veut épouser Nancy.

Il y eut un silence. Étrangement touché par la sympathie qu'il croyait discerner dans ses paroles, et bien qu'il lui en coûtât, il éprouva la tentation de lui parler de quelques-unes au moins de ces choses extérieures auxquelles elle avait fait allusion.

Il avait remarqué que, dès le début, elle s'était méprise sur son compte. Avec son absence de prétentions et la négligence de sa mise, c'était un cas auquel il s'exposait souvent, et il en ressentait plus d'amusement que de contrariété. Il détestait la pose et l'avait toujours détestée. Il dédaignait l'élégance moderne, les restaurants chic, les hôtels de luxe, l'agitation de la vie mondaine. C'est ainsi qu'il avait fait le voyage d'Europe sur un bateau d'émigrants, qu'il parcourait le continent comme un petit touriste modeste, qu'il descendait dans des auberges médiocres, qu'il voyageait en troisième classe pour le plaisir de fréquenter des gens simples et qu'il se contentait le plus souvent, pour son déjeuner, d'un sandwich et d'un verre de vin.

Peut-être avait-il hérité cette sobriété de ses ascendants et en particulier de sa mère, une femme de Vermont, du nom de Suzanne Emmet, qui alliait à une grande douceur un sens inflexible du devoir. Son père, Seth Madden, qui était originaire de Virginie, avait aussi toute l'amabilité des gens du sud des États-Unis, mais non leur indolence. C'était un petit homme frêle, osseux et barbu, avec des yeux enfoncés dans l'orbite et un humour de pince-sans-rire. Il s'était fixé à Cleveland et, en boutiquier laborieux, il s'était mis à fabriquer une colle spéciale pour laquelle il avait pris un brevet et qu'il avait dénommée *Fixfast*. Sa modeste usine n'avait jamais marché bien fort, mais, après sa mort en 1917, alors que Chris se battait sur le front d'Europe, ce fut la dégringolade et le gâchis. Lorsque le jeune Madden, après son retour, reprit la direction de l'affaire, il eut beaucoup de peine à s'y retrouver. Cependant, il était décidé à la remonter et à la développer, et il se jeta à corps perdu dans le travail.

Il y avait de cela quinze ans, et ceux qui avaient alors vu la maison ne l'auraient pas reconnue. Madden ne faisait ni bruit, ni phrases, mais sous ses attitudes tranquilles se dissimulait une énergie méthodique et réfléchie. Il lança sur le marché une nouvelle colle, de couleur rouge cerise, qui séchait très vite. Son commerce s'élargit progressivement. Avec beaucoup de prudence, il commença par racheter les petites fabriques de colle de la région, ainsi que leurs brevets, et par fermer les ateliers qui travaillaient selon des méthodes surannées; puis il concentra sa fabrication à Cleveland. Son capital doubla, tripla, quadrupla, se multiplia, et se chiffra finalement par millions. Madden était plus riche qu'il ne l'avait jamais rêvé au temps de ses imaginations enfantines. A vrai dire, il se souciait peu de l'argent, sauf lorsqu'il s'agissait de gâter sa vieille mère qu'il aimait tendrement. En 1929, il lui avait acheté à Graysville, dans l'État de Vermont — car elle était attachée à son pays natal — une confortable petite villa de style colonial.

Président des *Fabriques de colle réunies*, Madden était l'une des personnalités les plus connues de Cleveland. Mais il avait conservé sa simplicité d'allures et s'exprimait par phrases brèves, avec une tranquille modestie. Il avait maintenant trente-cinq ans, et il avait travaillé cinq années comme un forçat. Ayant atteint le but qu'il s'était fixé, il s'était dit que le moment était arrivé de s'arrêter un peu. Le printemps précédent, il avait donc fermé son bureau pour prendre des vacances en Europe.

Ces images du passé lui revenaient à l'esprit tandis qu'il roulait en auto au côté de Catherine, et il était harcelé par la tentation de les faire revivre pour elle.

Mais il ne pouvait s'y décider, et il hésitait encore lorsqu'ils débouchèrent devant Beechwood, ainsi que la vieille Mrs. Lorimer avait baptisé sa demeure. Il était presque cinq heures, et la façade de la maisonnette, joliment pomponnée, s'estompait déjà dans les ombres du soir. Madden gara la voiture, prit son sac, les paquets de Catherine et suivit la jeune femme le long de l'étroit sentier qui conduisait à la porte d'entrée. Ils pénétrèrent dans le salon où Mrs. Lorimer près de la cheminée, se balançait impatiemment dans un fauteuil à bascule.

— Que vous vous faites donc attendre, s'écria-t-elle avec énervement et sans même songer à saluer les arrivants. Encore une minute et le thé était imbuvable.

C'était une petite personne de soixante-dix ans, rebondie et courte sur jambes, dont les yeux clignaient sans cesse comme ceux des oiseaux, et qui secouait la tête d'une façon agressive. Elle était vêtue de soie noire, car elle n'avait plus quitté le deuil depuis la mort de son mari, survenue neuf ans auparavant. Sur ses cheveux, où l'on aurait vainement cherché des fils gris, elle portait un petit bonnet de dentelle blanche; et cette coiffure, jointe à son âge, à toute son apparence — et particulièrement à ses petites bajoues — lui conférait une curieuse ressemblance avec la vieille reine Victoria. Ressemblance dont elle était parfaitement consciente et dont, en son for intérieur, elle était très fière.

Pour l'instant, il est vrai, elle n'avait rien d'une " gracieuse Majesté " et semblait animée, au contraire, d'intentions franchement belliqueuses. Sans se soucier beaucoup de Madden, qu'elle avait simplement gratifié en passant d'un hochement de tête, elle soumit sa fille à un bombardement de questions relatives aux petites commissions dont elle l'avait chargée, et à la santé de Nancy. Puis, lorsque Catherine eut enfin satisfait sa curiosité, elle se leva, et passa tout droit dans la salle à manger.

La table était couverte de mets abondants et imprévus. Ce n'était ni un déjeuner, ni un goûter, ni un dîner, mais une bizarre combinaison des trois. Il y avait du pain blanc et du pain noir, grillé et en tartines, deux sortes de gâteaux, des tranches de fromage garni de céleri, et des biscuits dans un plat d'argent. Au centre, sous le lustre, un pudding à la crème fouettée voisinait avec un compotier de pruneaux cuits. Peggy, la petite servante, apporta ensuite un imposant pâté de poisson tout fumant, et, sur un vaste plateau, apparut enfin une majestueuse théière.

La vieille dame versa le thé et servit le pâté. Elle s'assura adroitement le meilleur morceau, le goûta, pencha la tête d'un air critique, et donna à entendre par une légère grimace qu'il était à son goût. Alors, seulement, elle prit le temps de considérer Madden. Bien que tardif, l'examen se révéla fort sévère. Sa conclusion fut plus sévère encore.

— Ainsi, vous voulez épouser Nancy? Je puis vous dire, jeune homme, que la noix sera dure à croquer!

— Nancy et moi, répondit-il d'un ton égal, nous nous accorderons toujours, madame Lorimer.

— Peut-être, déclara la vieille dame avec hauteur. Mais il vous faudra du temps et de la peine pour y arriver. Et que Dieu vous garde, jeune homme, si vous ne réussissez pas!

Ce fut le début de toute une série de remarques, de questions, de proverbes et de citations bibliques que la vieille dame jeta à la tête de Madden. Par la rigueur toute puritaine qu'elle tenait de son éducation, et grâce à un égoïsme profondément enraciné, elle était redoutable. Mais, stimulée par plusieurs tasses d'un thé très fort et par des considérations de haute morale, elle paraissait, ce soir-là, dans une forme écrasante.

Catherine connaissait sa mère, et avait appris à supporter ses pires sautes d'humeur. Tout en avalant avec peine le terrible pâté qu'elle détestait depuis sa tendre enfance, elle observait Madden et la façon dont il affrontait le feu roulant de sa mère. Malgré elle, elle admira son esprit et sa bonne contenance. Naturellement, il jouait la comédie, car, avec le tour impossible que la conversation avait pris, il devait se sentir comme un poisson échoué sur le sable d'une grève. Cependant, il écoutait avec intérêt ce qui se disait, et il mangeait de bon appétit.

Peu à peu, et comme on en était aux pruneaux, Catherine découvrit que Madden, qu'il s'y fût appliqué ou non, était en train de faire la conquête de sa mère. A leur retour au salon, où flambait un bon feu qui projetait une chaude clarté sur la peau d'ours étendue devant la cheminée, sur la garniture de style Victoria, les pièces de porcelaine et les bibelots qui en décoraient la tablette, Mrs. Lorimer poussa un soupir de satisfaction.

— Prenez place sur ce siège, monsieur Madden, dit-elle. Vous verrez qu'il est très confortable. Il appartenait à mon cher mari et je ne permets pas à chacun de s'y asseoir. Vous pourrez suivre notre jeu de patience, à Catherine et à moi.

Le jeu de patience à deux auquel elle pensait, et qui constituait une surprenante infraction à ses principes puritains, était, avec la radio dont elle raffolait, sa principale passion. A chaque week-end, elle obligeait impitoyablement Catherine à lui servir de partenaire. Madden jeta un regard interrogateur à Catherine et sans aucun doute lut-il dans son visage, car il prit un ton suppliant.

— Votre fille, dit-il, paraît un peu fatiguée. Que penseriez-vous d'une partie avec moi?

— Mon Dieu! Catherine est toujours fatiguée quand il s'agit de faire plaisir à sa vieille mère.

— Mais non. C'est moi qui ai grande envie de jouer, répliqua Madden, et soyez convaincue que je ne suis pas un adversaire négligeable.

— Vraiment? s'écria Mrs. Lorimer en se préparant au combat. Pas un adversaire négligeable? Très bien. Nous allons voir.

Elle regarda la pendule.

— Nous avons une bonne demi-heure. A huit heures, il y a une belle émission, *La Perle noire*. Il faut que nous l'écoutions.

Ils s'assirent près du feu devant la table recouverte d'un tapis vert pendant que Catherine, heureuse d'avoir échappé à la corvée, s'installait sur le divan et suivait le jeu avec une attention croissante. Elle savait, par une longue expérience, que si Madden ne cédait pas sur toute la ligne, il y aurait discussion et dispute.

Mrs. Lorimer partit bien. Elle eut la main, et tira de bonnes cartes. Les lunettes sur le nez, et gardant à sa portée les fameuses amandes pralinées, elle se renversa sur le dossier de son fauteuil d'un air satisfait. Elle avait de la chance et menait le jeu. Mais, au bout d'un moment, Madden, qui se tenait sur ses gardes, le mena à son tour.

Comme Catherine l'avait prévu, sa mère se mit à tricher. La vieille dame avait un vilain défaut : elle ne pouvait pas supporter de perdre. Jamais! Quoi qu'il advînt, et à tout prix, elle voulait gagner. Qu'elle s'en fît ou non un cas de conscience, peu importait. Plutôt que de supporter la honte d'une défaite, la vieille dame se résignait à tromper son prochain, et cela sans ménagement aucun.

Naturellement, Madden s'en aperçut tout de suite. Catherine, dont les yeux sombres demeuraient fixés sur les joueurs, s'attendait à voir la coupable démasquée. S'il protestait, ce serait une scène; s'il ne disait rien, c'est qu'il manquait totalement d'énergie. Mais Madden adopta une autre tactique. Le plus sérieusement du monde, il se mit à aider la vieille dame dans ses tricheries, d'abord discrètement, puis avec toujours plus d'ostentation. Au lieu de la mauvaise carte à laquelle elle avait droit, il lui en passait une bonne, et s'obstinait à ne pas profiter de ses propres chances. De plus en plus, il entrait ainsi dans ses ruses. D'abord Mrs. Lorimer pouffa de rire avec un air d'intime contentement et accepta les cadeaux qu'il lui faisait; puis, peu à peu, son expression changea. Elle lui jeta un ou deux regards méfiants et enfin, après une série de coups heureux, elle s'arrêta, hésita et rougit.

— Pourquoi me regardez-vous ainsi? demanda-t-elle avec emportement.

— Je vous admire, madame Lorimer, dit Madden gravement. J'ai couru le monde entier, et je n'ai jamais rencontré joueur qui vous vaille!

— Que dites-vous? s'écria-t-elle.

— Non vraiment, chère madame.

Sa voix prenait ces inflexions traînantes qui sont propres aux gens du sud des États-Unis.

— Vous êtes le plus grand champion aux cartes auquel je me sois jamais frotté!

La vieille dame respira profondément; ses yeux en forme de boutons semblèrent lui sortir de la tête, et elle se prépara à foudroyer son interlocuteur. Mais soudain, elle se mit à rire. Elle riait à gorge déployée, et jetant ses cartes, renversa la coupe aux amandes pralinées. De toute sa vie, jamais Catherine ne l'avait vue rire ainsi.

— Ah! mon Dieu, ah! mon Dieu! s'exclama-t-elle enfin en haletant. Que c'est drôle! Champion! As-tu entendu, Catherine?... C'est inénarrable!

— Non, réellement, chère madame, répéta Madden, je vous assure...

N'arrivant pas à se ressaisir, elle se balançait sur sa chaise et lui ordonnait de la main de se taire, tandis que des larmes d'hilarité coulaient sur ses joues.

— Arrêtez, soupirait-elle, vous allez me faire mourir, jeune homme. Non, c'est trop drôle... Champion aux cartes! Et j'ai triché tout le temps!

Jamais peut-être cette chambre ennuyeuse n'avait retenti de pareils éclats de rire. Enfin la vieille dame retrouva sa dignité.

— Ciel! s'exclama-t-elle, en essuyant ses larmes, nous avons failli laisser passer l'émission!

Avec une prestesse dont on ne l'aurait pas crue capable, elle se précipita vers l'appareil de radio et le mit en marche. Un instant, le haut-parleur fit entendre des grognements confus, puis il retrouva sa voix. La pièce avait effectivement commencé. C'était une jeune fille qui parlait.

Madden considéra fixement Catherine, et vit qu'elle le regardait également. Les yeux de la vieille dame s'ouvrirent aussi tout grands et errèrent de l'un à l'autre. La jeune fille parlait toujours.

— C'est impossible! dit Madden.

Non, ce n'était pas possible. Nancy était au lit avec de la fièvre, elle n'avait averti de rien. Nancy était malade et hors d'état de se lever.

— Que se passe-t-il? s'écria la vieille dame au comble de l'ahurissement.

— Ce doit être une erreur, dit Catherine, consternée et perplexe.

Mais ce n'était pas une erreur. La voix qui leur parvenait, claire et nette, à travers l'espace, était bien celle de Nancy.

III

Nancy était restée couchée toute la journée. La tête lui faisait mal et elle se sentait les membres lourds. Mais elle détestait demeurer au lit, et elle était de plus en plus agitée. Ce n'était pas qu'elle se fît beaucoup de souci pour la *Nuit de lune en Arcadie*... L'étude en était déjà très avancée, et aucune répétition n'était prévue pendant ce week-end; mais ce contretemps imprévu qui était venu troubler la minutieuse ordonnance de sa petite vie la mettait de mauvaise humeur. Quand tout ne marchait pas selon ses désirs, il lui arrivait d'avoir des déchaînements d'égoïsme qui la rendaient insupportable. Bien que Catherine refusât de le reconnaître, elle l'avait gâtée à force de gentillesses. Pour excuser sa nièce, elle se disait qu'elle était encore une enfant. Et Nancy considérait un peu que tout ce qu'on faisait pour elle lui était dû.

Ce jour-là, par exemple, Catherine n'eût pas admis qu'on pût reprocher à la jeune fille de manquer de docilité. Elle avait sagement pris sa médecine toutes les quatre heures, et avait absorbé sans protester les boissons chaudes que sa femme de ménage, Mrs. Baxter, lui apportait toutes fumantes. Dans la matinée, elle s'était installée dans ses oreillers pour écrire quelques lettres qui attendaient depuis longtemps. Ce devoir rempli, elle avait passé une heure confortable à rêver de Madden. Puis elle avait pris un livre qu'elle s'efforçait de lire.

On aurait pu supposer qu'une malade aussi capricieuse eût cherché refuge dans un roman policier ou dans une petite histoire d'amour. Mais le volume sur lequel elle était tombée appartenait à une tout autre catégorie. C'était le Théâtre de Shakespeare. La bibliothèque, qui était bien garnie, contenait du reste presque exclusivement des ouvrages de théâtre et surtout des classiques : Molière, Ibsen, Sheridan, Shaw, tous y avaient leur place. Dans le nombre figuraient également les biographies d'acteurs célèbres. Une bibliothèque bien surprenante pour une jeune artiste apparemment frivole.

L'arrangement de la chambre de Nancy avait également de quoi étonner. Rien du bric-à-brac qu'on aurait pu s'attendre à découvrir chez elle. Ni coffret exotique pour cacher l'appareil du téléphone, ni poupées excentriques. La pièce était austère et nue, et l'ordre minutieux qui y régnait faisait songer à une cellule de couvent. Sur la commode, deux photographies, celle de Madden et celle de Catherine. Aux parois simplement badigeonnées en blanc, un seul tableau : un grand et beau dessin de la Duse. Ce portrait de l'une des plus grandes actrices de tous les temps éclairait le mystère de cette chambre, et le mystère beaucoup plus grand encore de la personnalité de Nancy.

Jusqu'au plus profond d'elle-même, elle était éprise de théâtre. Ce n'était pas l'élan irréfléchi qui pousse habituellement les femmes sur les planches, mais un ardent et profond besoin de s'exprimer par la création de belles images pleines de passion et de vie. D'où ce besoin lui était venu, il eût été difficile de le discerner. Sans doute existait-il déjà à l'état latent chez son père, qui était de nature expansive. En tout cas, il s'était manifesté chez elle dès la plus tendre enfance. A son vif chagrin, elle n'avait pu lui donner libre cours. Seules, quelques-unes de ses amies intimes avaient pu mesurer la sincérité de son ambition et de son amour pour la scène, mais elles n'avaient pas cru qu'elle parviendrait jamais à s'imposer. Les êtres qui lui tenaient le plus au cœur, Catherine et maintenant Madden, avaient tendance à sourire de sa ferveur. Ils ne pouvaient ou ne voulaient la prendre au sérieux. Dans un certain sens, Nancy en était elle-même responsable. Elle était encore vraiment très jeune et avait toutes les hésitations et les maladresses d'une très jeune fille. Ses sautes d'humeur, qui trahissaient une grande vivacité et une nature fantasque, pouvaient faire douter de la constance de ses aspirations. Souvent, elle manifestait de l'étourderie et, en société, elle usait de ce ton facile et libre qui passe pour élégant. Somme toute, c'était une créature plutôt compliquée. Tour à tour exaltée et déprimée, elle oscillait sans cesse d'un extrême à l'autre et il était bien difficile de prévoir la voie qu'elle prendrait, le jour où elle aurait enfin trouvé son équilibre.

Cette description de son caractère, si elle était venue à ses oreilles, lui eût fait pousser de hauts cris. Au fond, elle était sérieuse et sensible, et personne n'avait jamais songé à l'éclairer sur elle-même. Il y avait peu de chances aussi, ce jour-là, qu'elle procédât à un examen de conscience. Elle était trop prise par son cher Shakespeare et, malgré sa migraine, elle s'était plongée dans l'étude du *Roi Lear*. Elle se vit d'abord dans le rôle de Goneril, puis dans celui de Regane, et enfin dans celui de la douce Cordelia.

Lorsqu'elle eut terminé sa lecture, elle laissa échapper son livre. Elle se sentait mal en point. Le temps s'écoulait et, insensiblement, le soir tombait. La femme de ménage prit congé, mais promit de repasser à neuf heures pour voir si tout allait bien. Nancy se mit à rêver, et l'image de Madden était celle qui revenait le plus souvent dans ses pensées. Elle comparait les heures grises qu'elle était en train de vivre à l'avenir de bonheur qui l'attendait.

Soudain, la grêle sonnerie du téléphone interrompit ses songeries. Elle prit l'écouteur, et reconnut la voix de John Harris avant même qu'il se fût nommé (elle avait le don de reconnaître les voix). Harris parut soulagé d'avoir pu l'atteindre.

— C'est toi, Nancy? s'écria-t-il avec un soupir de joie. Je remercie le Créateur de te trouver. Oui, je suis à la radio et même dans un vilain pétrin. Tu sais que nous donnons ce soir *La Perle noire?* C'est une émission assez importante, qui passe à huit heures. Or, tu m'entends, Nancy, Sylvie Burke me fait faux bond. Elle est malade. Tu te rends compte! La vedette! Et nous commençons dans quatre heures! Il faut que tu m'aides, Nancy, il faut que tu prennes le rôle. Sois gentille et viens tout de suite! Nous pouvons encore vite parcourir le manuscrit ensemble.

— Mais John! protesta Nancy, je ne sais vraiment pas si je puis venir.

— Tu perds la tête? Comprends-tu ce que cela signifie pour toi? Remplacer Sylvia Burke! Avec quelques millions d'auditeurs pour t'entendre!

Perplexe, Nancy passa la main sur ses tempes brûlantes. Harris avait parfaitement raison. Sylvia Burke était probablement la comédienne la plus célèbre du moment. Il y avait là une occasion unique de se pousser, de se faire connaître des innombrables amateurs qui seraient ce soir à l'écoute.

— Qu'a donc Sylvia? demanda-t-elle toujours plus perplexe.

— Refroidissement, s'exclama Harris. Trente-huit de fièvre. Interdiction absolue de se lever.

A tout autre instant, Nancy aurait ri.

— Le rôle ne te fait pourtant pas peur? insista Harris. Nous n'avons qu'à lire le manuscrit ensemble.

— Non, non, ce n'est pas ça, répliqua Nancy.

Saisissant le thermomètre qu'elle avait à portée de la main, elle ajouta :

— Reste une minute à l'appareil.

Elle mit le thermomètre dans sa bouche. Soixante secondes d'attente énervante. Puis elle regarda. Le mercure marquait trente-neuf. Son cœur se serra. Impossible d'accepter; sortir eût été une pure folie.

— Voyons, qu'est-ce qui se passe? demanda Harris sur un ton d'agacement. Est-ce que tu vas me faire droguer ici toute la nuit? Qu'as-tu donc, Nancy? J'avais toujours cru que tu avais la tête solidement vissée sur les épaules. Viens-tu ou ne viens-tu pas?

Les lèvres de Nancy s'entrouvrirent pour dire non, lorsque par une sorte d'inspiration son regard se tourna vers le portrait de la Duse. La grande artiste à laquelle allait toute sa ferveur et qu'elle s'était donnée comme modèle avait préféré jouer malgré des névralgies, qui la rendaient à moitié folle, plutôt que de manquer au public. Nancy sentit sa gorge se serrer.

— Naturellement que je viens, John!

Elle avait l'impression que c'était une autre qui parlait:

— Je ne me sens pas tout à fait d'aplomb, mais dans une demi-heure, je serai là.

Elle coupa court à toute effusion de joie en raccrochant l'écouteur. Ce qu'elle faisait était complètement fou. En sortant ce soir, elle risquait sa vie. Catherine lui en voudrait terriblement; et Chris... Ne lui avait-elle pas dit qu'elle se sentait trop peu bien pour l'accompagner à Wimbledon? La peur la saisit, mais elle se maîtrisa. Chris l'aimait; il ne lui garderait pas rancune et il la comprendrait.

Rassemblant toute son énergie, elle se leva. Elle tremblait de tout son corps et il lui fallut faire un très grand effort pour s'habiller. Elle choisit les vêtements les plus chauds qu'elle possédait, enfila son manteau de fourrure, et se noua encore une écharpe autour du cou.

Puis elle avala une bonne gorgée de sa médecine et téléphona pour un taxi. Jetant enfin un dernier regard dans le miroir, elle secoua lentement la tête, fit une petite mimique mélodramatique, et éteignit la lumière.

IV

Pour rester dans la tradition, l'auteur aurait dû introduire ici une scène sensationnelle, dont l'effet eût été irrésistible. Au grand effroi de millions d'auditeurs, Nancy serait tombée sans connaissance devant le microphone et aurait été transportée chez elle sous une tempête de neige; à la suite de quoi elle aurait contracté une double pneumonie et serait morte, avec accompagnements de violons, dans l'espace de vingt-quatre heures.

En fait, malgré le peu de temps dont elle disposait pour étudier son rôle, et malgré sa migraine, Nancy se tira très brillamment d'affaire. En rentrant à son domicile, elle pensait à Beechwood, et s'attendait à subir une grêle de reproches. Madden était alors déjà en route pour la rejoindre.

Le lendemain matin, la vie reprit son cours régulier. Non seulement Nancy échappa au tragique destin que nous venons d'évoquer, mais elle se sentait beaucoup mieux. Sa température était de nouveau normale, et, le lundi, elle était en état de reprendre les répétitions de *Nuit de lune en Arcadie*.

Entre temps, Catherine, elle aussi, était retournée à son travail. Assise dans son bureau, et la tête entre les mains, elle contemplait d'un air soucieux la miniature de Holbein qui reposait dans un écrin de velours vert. M. Sugden, l'un des directeurs de la galerie Vernon, avait tenu à la lui apporter lui-même. Le regard de Catherine, à la fois scrutateur et grave, s'attardait longuement sur le petit portrait.

C'était un chef-d'œuvre de délicatesse, et il en émanait

une impression de subtile mélancolie. Lucie de Quercy se tenait debout à côté d'une table à deux plateaux, dont l'un, celui de dessus, était couvert d'un tapis de brocart rouge, tandis que celui de dessous supportait une mandoline et quelques livres. Elle était vêtue d'une robe d'un brun marron, rehaussée d'hermine; et sa main, négligemment posée sur le brocart, tenait un bouquet d'œillets. Elle était très belle, d'une beauté pâle, frêle et pensive, d'où se dégageait un charme étrange, presque énigmatique. Ses yeux surtout, d'un brun foncé et profond, exprimaient une compréhension infinie. Elle semblait fixer Catherine avec l'insistance d'une personne vivante. Il y avait quelque chose de si intime et de si éloquent dans son regard que Catherine avait l'impression d'y lire une confidence qui, depuis des siècles, lui était spécialement destinée, et qui l'entraînait dans un lointain passé. Et elle se surprit en train de répondre au regard de Lucie de Quercy, comme si elle s'abandonnait à l'influence de cette femme, si mystérieusement belle dans sa songerie.

L'histoire de cette dame aux œillets, inséparable de la miniature et basée sur des données historiques, Catherine la connaissait bien. La jeune Française était venue à la cour d'Henri VIII avec son père, le comte de Quercy, pour s'initier à la vie mondaine, mais surtout pour faire faire son portrait par Holbein. Après de nombreux et graves ennuis d'argent, l'artiste avait depuis peu quitté la Suisse pour aller s'établir à Londres. A Paris, Lucie avait laissé son fiancé, Pierre de Noailles. Elle n'était pas liée à lui par un sentiment superficiel, mais par un amour brûlant, sincère et pur. Le portrait fut exécuté (il figure aujourd'hui à la Galerie royale de La Haye), et Lucie pria le maître d'en faire une copie en miniature pour son fiancé. Holbein acquiesça, et la miniature fut plus parfaite encore que le tableau. Au printemps de la même année, Lucie la rapporta à Paris, mais, à son arrivée, elle apprit que deux jours auparavant Noailles avait été tué en duel. La miniature lui resta, tragique témoignage de son incurable chagrin. Elle ne se maria jamais. Le cœur brisé, elle supporta son destin. Se consacrant aux œuvres de charité, elle mourut dans un couvent, à l'âge de trente-sept ans.

Un bruit, à la porte, rappela Catherine à la réalité. Un instant encore, elle demeura immobile; puis, d'une voix légèrement frémissante :

— Entrez, dit-elle.

C'était son fondé de pouvoir, M. Walters. Il s'arrêta près de la table, un long paquet brun à la main, et regarda gravement la miniature par-dessus l'épaule de Catherine.

— Très beau, miss Lorimer, murmura-t-il d'un ton bas et déférent, vraiment très beau!

M. Walters était toujours extrêmement digne et respectueux. C'était un vieux monsieur d'aspect paternel et très soigné. Avec son haut col empesé et sa mise quasi sacerdotale, il faisait penser à un dignitaire ecclésiastique. Sa démarche aussi était d'église et, à chaque pas, son pied avait l'air de caresser le tapis. Depuis de longues années déjà, il était employé chez Catherine, et elle connaissait par cœur toutes ses petites faiblesses; les principales étaient une passion excessive pour le thé très fort et sa dévotion à l'art gothique. Il était si imperturbablement ancré dans ses habitudes qu'il incarnait, à lui seul, une véritable institution; et son amour pour la profession d'antiquaire, sentiment qui le mettait en perpétuel conflit avec les marchands dont la brutalité l'exaspérait, était réellement touchant. Il arrivait parfois que, par taquinerie, Catherine le bousculât en l'interpellant du haut de l'escalier, " Vite, vite, M. Walters! " mais au fond, elle le tenait en très haute estime.

— Un petit chef-d'œuvre, poursuivit M. Walters avec admiration. Il est remarquable que tous ces détails ne nuisent en rien à l'impression d'ensemble.

— Remarquable, en effet, dit Catherine avec une sèche approbation, comme si elle devait faire un effort pour parler.

— Et si caractéristique de ce pauvre Holbein. Vous trouvez peut-être drôle que je l'appelle " pauvre ". Mais je pense toujours avec sympathie à la terrible maladie dont il est mort. Il n'était âgé que de quarante-six ans. Il avait connu de mauvais moments à Bâle, et perdu par surcroît tout son argent. Pourtant il a dû ressentir une grande joie à peindre cette miniature. Quelle femme ravissante! Savez-vous aussi, miss Lorimer — pardonnez-moi cette observation — qu'elle vous ressemble?

— Vous plaisantez!

— Certainement, elle vous ressemble, miss Lorimer. La ressemblance est même frappante. Ces yeux-là, ce sont exactement les vôtres.

Il fit une pause.

— Je suppose que vous connaissez son histoire...

— Bien sûr, répliqua froidement Catherine. Chaque marchand d'antiquités la connaît, et nous n'allons pas la ressasser. Pauvre créature!

Il parut surpris du ton de la réponse.

— Soit, soit, miss Lorimer. Je me disais simplement, en moi-même, que cette histoire pouvait vous intéresser.

Catherine se détourna avec un sourire forcé.

— Ce qui m'intéresserait plus encore, ce serait de vendre la miniature. Nous avons besoin d'argent, monsieur Walters; vous le savez. Où en sommes-nous avec Lady Ansen?

Walters hésita.

— Lady Ansen a téléphoné ce matin.

Sa voix prit une intonation soucieuse.

— Elle a décidé de ne pas entreprendre la restauration envisagée.

— Comment! s'écria Catherine d'un air contrarié. Vendredi encore, elle nous annonçait qu'elle allait commencer!

— Je sais, miss Lorimer, dit Walters en baissant la tête. Mais elle a changé d'avis. Elle dit que les temps sont trop durs.

— Durs! répéta Catherine avec amertume.

Elle se contint. Il lui arrivait à l'occasion de céder à l'énervement, mais à quoi bon s'abandonner...

— Je regrette beaucoup, reprit Walters. J'ai tout fait pour essayer de la convaincre.

— Je sais, je sais. Évidemment, ce n'est pas votre faute. Je ne vous blâme pas. Et Lady Ansen a tout à fait raison.

Les temps sont vraiment difficiles. Pour tout le monde, et pour nous aussi, ajouta-t-elle en soupirant.

Ses yeux se fixèrent de nouveau sur la miniature.

— Il nous faut vendre ce Holbein aux meilleures conditions possibles, et vite!

— Vous pensez à M. Brandt, de New York, n'est-ce pas?

— Oui, à M. Brandt. Il peut l'utiliser pour son exposition, j'en suis certaine. S'il n'était pas parti pour l'Argentine, il n'aurait sûrement pas manqué cette vente. Il serait sans aucun doute monté à vingt mille livres, monsieur Walters. Et c'est le prix qu'il doit m'en donner.

— D'accord, miss Lorimer.

Sa voix baissa.

— Vous avez eu l'occasion de faire une très bonne affaire avec lui, l'autre fois. Il a un goût excellent et une énorme fortune.

— Une énorme fortune? Dieu sait! répliqua Catherine, d'un air abattu.

— Vous ferez vous-même la traversée, miss Lorimer?

— Oui. Informez-vous des départs pour le début du mois prochain. Je crois que le *Pindaric* doit partir vers le sept; c'est un bon bateau. Et surtout, j'aurai une cabine à très bon compte.

Walters gardait les yeux fixés sur le sol.

— Est-ce que ça va donc si mal, miss Lorimer? Je pensais... bien sûr, je suis au courant... Mais pas à ce point?

Il se tut et poursuivit en élevant la voix dans un petit crescendo dramatique :

— Si je puis faire quelque chose, miss Lorimer, vous aider n'importe comment...

La figure de Catherine s'éclaira. Elle sourit d'un sourire gracieux et sincère.

— Ce serait complet, Walters! Le vieux serviteur à cheveux blancs sacrifiant les économies de toute une existence pour sauver son maître de la faillite! Non, nous n'en sommes pourtant pas là. Nous nous en sommes toujours tirés, et nous nous en tirerons cette fois encore. Et maintenant, ne restez pas planté devant moi avec des yeux tout ronds, comme si l'huissier attendait déjà derrière la porte. Allons, au travail !

— Certainement, miss Lorimer, balbutia-t-il en se retirant.

Sur le seuil, il se souvint du paquet qu'il tenait à la main.

— Ah !... j'avais presque oublié. Voici, miss Lorimer, ce qu'on a apporté pour vous.

Il revint, déposa le paquet sur le secrétaire et sortit dignement sur la pointe des pieds, refermant la porte sans bruit.

Demeurée seule — car jamais elle n'aurait laissé transparaître devant Walters la gravité de sa situation — Catherine reprit son expression soucieuse. D'un geste las, elle saisit le paquet. Elle s'appliqua un instant à défaire le nœud, car jamais elle ne pouvait se décider à couper brutalement une ficelle, et surtout pas une jolie ficelle tricolore comme celle-là. Enfin, elle arriva au bout de ses peines, et le papier se déploya. Ses yeux s'élargirent et trahirent un ravissement joyeux : la boîte débordait de magnifiques œillets. Avant même d'avoir aperçu la carte qui les accompagnait, elle savait que les fleurs venaient de Madden, car elle se rappelait avoir dit, alors qu'ils longeaient un jardin, sur le chemin de Beechwood, que les œillets étaient ses fleurs préférées. Elle prit la carte : elle n'était pas imprimée et portait, tracés d'une écriture soignée, les mots : “ Chris Madden, Cleveland, Ohio. ” Au revers, elle lut cette brève phrase : “ En reconnaissance pour le week-end interrompu — et pour Nancy. ”

Elle ne put retenir un rire amusé à l'idée que ses droits de propriété sur Nancy étaient ainsi reconnus et proclamés. Mais quelle joie d'avoir à soi ces fleurs merveilleuses ! Il y avait des éternités que personne n'avait songé à lui en offrir, et que c'était gentil à lui de s'être souvenu de cette remarque faite en passant ! Après avoir disposé le bouquet dans un vieux vase de Worcester, dont le ton d'un brun mat et doré s'accordait bien avec la nuance des œillets, elle se dit avec un petit accès de gaieté intérieure : “ Il ne faut pourtant pas que je lui en laisse prendre l'habitude... ”

Un parfum intense et doux remplit aussitôt la pièce. Elle choisit une place pour le vase sur son secrétaire. Apaisée, elle enferma la miniature dans son coffre-fort, puis elle se replongea dans son travail, qui n'avait rien d'agréable. Saisissant un crayon et un bloc-notes, elle commença à faire le compte des sommes qu'elle devait.

Elle avait dû emprunter six mille guinées pour payer la miniature, car la somme liquide dont elle disposait s'élevait tout au plus à quatre mille livres. Heureusement, les banques lui faisaient volontiers crédit, et M. Farrer, de la Banque St. James, avait poussé la complaisance jusqu'à l'extrême limite en lui avançant, sur la réputation de sa maison, les six mille livres nécessaires. Ce prêt, elle le devait moins en effet à l'actif qu'elle possédait qu'à son renom personnel.

Jusque-là, tout était en ordre, mais les engagements qui l'accablaient en cette fin d'année étaient si écrasants qu'elle n'osait y penser : dépenses et impôts, des impôts vertigineux, amer souvenir des années de vaches grasses, se montant en tout à deux milles livres. Les notes impayées pour le matériel et la main-d'œuvre représentaient en outre huit cents livres. Sans entrer dans le détail, elle avait fait l'addition. Les versements qu'elle aurait à effectuer en janvier s'élevaient à environ cinq mille livres. C'était cette dette inéluctable et menaçante qui l'avait poussée à se lancer dans l'aventure désespérée qu'était l'achat de la miniature. Elle savait trop bien qu'elle était acculée à l'amère nécessité de réussir cette affaire avec Brandt. Ensuite seulement, elle pourrait faire face à ses obligations, combler son déficit à la banque et, grâce au bénéfice qui lui resterait, attendre des temps qui seraient peut-être meilleurs. De toute façon, il lui fallait absolument revendre la miniature.

Aussitôt qu'elle eut pris cette décision, elle put considérer avec plus de sérénité la longue colonne de chiffres. Puis elle se mit à écrire à Breuget, son représentant à New York, pour lui annoncer son arrivée, et pour lui dire de se mettre déjà en rapport avec Brandt. C'était une lettre importante, et bien qu'elle eût à portée de sa main la machine inoccupée de miss Miller, Catherine l'écrivit elle-même de cette écriture allongée et claire qui était la sienne.

Elle venait de terminer, lorsqu'on frappa à la porte.

C'était miss Miller. Sur son visage maigre s'esquissa un sourire gêné et pudique, qui révéla tout de suite à Catherine l'identité du visiteur qu'on lui annonçait.

— M. Upton est là, murmura miss Miller. Il dit qu'il a pris rendez-vous avec vous, miss Lorimer...

— Je suppose que c'est pour le déjeuner?

— Il me semble, miss Lorimer.

Catherine dévisagea la rougissante miss Miller avec une curiosité amusée. Charley Upton avait du charme, c'était entendu; mais il faisait sur miss Miller une impression profonde, et la discrète exaltation, toute féminine, que sa venue provoquait toujours en elle plongeait chaque fois Catherine dans un nouvel étonnement. " Ainsi, songeait-elle avec stupeur, un homme représente encore quelque chose dans la vie rétrécie et desséchée de notre pauvre miss Miller! "

— Très bien, répondit-elle. Faites-le entrer.

Un instant plus tard, Charley Upton entrait dans la pièce.

— Tu sais, Charley, lui déclara Catherine avant qu'il pût ouvrir la bouche — et elle avait dû se hâter pour parler la première — j'enverrai un jour miss Miller déjeuner avec toi. De joie, elle en aura peut-être un arrêt du cœur; mais je crois qu'elle trouverait que ce ne serait pas payer trop cher.

Le rire léger que laissa échapper Charley Upton s'accordait très bien avec le gardénia qu'il portait à la boutonnière.

— Les meules du Seigneur tournent lentement, répliqua-t-il sur un ton dégagé, mais elles font du bon ouvrage. Elle ne serait donc pas la triste vieille fille qu'elle paraît?

— Ciel, s'écria Catherine, elle n'est pas vieille! Elle est usée par l'application qu'elle met à son travail, par la fréquentation de son stupide club de femmes, par l'abus du lait et des gâteaux, par ses courses à la poursuite du Métropolitain et par les préoccupations que lui procure sa bouillotte d'eau chaude. Si elle n'avait pas chaque semaine sa dose de cinéma, Clark Gable et toi-même, Charley, elle dépérirait lentement. Elle est le type classique de la pauvre demoiselle de bureau et de la femme qui gagne sa vie; c'est moi qui te le dis, Charley, et je m'y connais.

Charley continua de rire.

— Il me semble que tu me cherches querelle aujourd'hui. D'habitude, tu as tant de travail que je n'arrive pas à me faire entendre.

Catherine l'observa avec gravité. Qu'il était bien égal à lui-même! Un homme encore jeune, primesautier et généreux, pas trop encombré de cervelle, un peu trop pomponné et astiqué, mais, à tout prendre, parfaitement agréable et gentil. Sa principale qualité était de ne jamais se faire passer pour ce qu'il n'était pas, et de ne pas essayer d'en imposer. Il avait quarante-cinq ans, mais ne les paraissait pas; et, de sa vie, il n'avait mis la main à un travail quelconque. Son père avait débuté dans une petite étude d'avocat à Birmingham, s'était élevé à force de diplômes et de routine, et était finalement devenu co-propriétaire d'une petite feuille de province qu'il avait dirigée cinq années durant. Concentrant toute son ambition sur les entreprises de presse, il avait développé son affaire, cherché des appuis financiers, racheté des actions, puis liquidé avec l'intention de poursuivre sa carrière à Londres. De succès en succès, il était devenu l'unique propriétaire du *Sunday Searchlight*, une extraordinaire feuille dominicale spécialisée dans les histoires de crimes et de divorces, qui tirait à cinq millions et demi d'exemplaires.

A la mort du vieux monsieur, Charley se trouva à la tête d'une fortune trop considérable pour qu'il pût jamais espérer la dépenser, bien qu'il fût, à ce point de vue, assez doué. Il avait un siège à la direction du journal, mais il ne l'occupait que rarement; par contre, il était toujours le premier au banquet annuel de la maison et au bal qui suivait. Au demeurant, il ne faisait rigoureusement rien. Toutefois il s'acquittait de son rôle de la façon la plus élégante. Il appartenait à une demi-douzaine de clubs, avait d'innombrables amis, montait à cheval et chassait un peu, savait apprécier un dîner et une bonne anecdote, tapait sur l'épaule d'une quantité de gais compagnons, veillait à sa forme en bon sportif, passait de longues heures chez son tailleur, son chemisier et son bottier, allait l'après-midi au bain de vapeur, prêtait de l'argent à tout le monde et ne se laissait pourtant jamais rouler. Bref, impossible de lui découvrir le moindre défaut.

Huit ans auparavant, il avait fait la connaissance de Catherine Lorimer à un bal de bienfaisance, et, comme il l'avouait, il en avait perdu complètement la tête. La semaine suivante, il lui offrit de l'épouser et depuis lors, il la mettait à intervalles réguliers dans la pénible obligation de lui refuser chaque fois sa main. Entre temps, il se consolait avec de jolies demoiselles de ballet, mais ce n'étaient là que de fugitives aventures dont il ne faisait du reste aucun mystère; ce qui plaidait en sa faveur. Parmi ces amourettes, son amour pour Catherine s'épanouissait comme une fleur précieuse dans un jardin plutôt piteux. Il y avait dans son attachement tant de fidélité, et son espérance de parvenir un jour à ses fins trahissait une obstination si touchante, que Catherine s'en serait voulu de le blesser.

Force lui était de se rendre à l'évidence qu'elle n'aimait pas Charley. En se lançant dans la carrière qu'elle avait choisie, elle avait renoncé à toute idée de mariage. Dans le tréfonds de sa conscience sommeillait néanmoins comme un soupçon que l'inébranlable constance de Charley, jointe à la solidité d'une fortune tout aussi inébranlable, pourrait l'inciter, en une heure de faiblesse, à se jeter dans ses bras pour y chercher un refuge contre les fatigues et les peines où s'usait sa vie. L'idée qu'elle, Catherine Lorimer, " qui s'était faite elle-même ", pourrait se trouver un jour, pour échapper à sa détresse, dans l'absurde situation d'appartenir à un homme qui lui était inférieur par l'intelligence, lui apparaissait comme un cauchemar. Mais elle n'arrivait pas à se libérer entièrement de l'inquiétude que ce cauchemar lui causait, surtout quand Charley était assis près d'elle et lui prenait la main. Elle le regardait alors en fronçant les sourcils, comme pour l'obliger à reculer. C'était ainsi qu'elle le considérait à ce moment-là :

— Tu ne m'as pas encore expliqué pourquoi tu me déranges dans mon travail à cette heure inaccoutumée? demanda-t-elle.

— Mais c'est justement la bonne heure. Je viens te prendre pour déjeuner.

Elle eut un geste d'énergique dénégation.
— Je suis trop occupée.
— Tu es toujours occupée, Catherine. Mais il faut que tu viennes.
— Non, je ne viendrai pas.
— Si, tu viendras. J'ai retenu une table à l'*Ambassade*.
— Écoute, Charley, je t'ai déclaré que j'avais à travailler. Comment veux-tu que je me débrouille honorablement dans la vie si tu me déranges de la sorte?
Il se mit à rire.
— Mais ce n'est pas ma faute si tu es la femme la plus célèbre du West End... Ton nom est dans tous les journaux à propos de la miniature de Holbein.
— Tu ne vas pas m'annoncer aussi que le *Sunday Searchlight* parle de moi?
— Pas encore, mais ça viendra. Pour nous en tenir à la question capitale, tu sais que j'ai commandé le déjeuner.
— Qu'as-tu donc commandé?
— Je commence à connaître un peu tes goûts : sole bonne femme, salade Florida, soufflé au fromage.
Comment aurait-elle pu résister? Malgré elle, son visage s'éclaira.
— Magnifique! déclara-t-elle en se levant d'un bond, je viens. Mais sache que, dans une heure, je dois être de retour, assise devant mon secrétaire! Compris? A deux heures précises. Et je ne viens pas pour toi, mais pour la sole!
Charley rit de nouveau et lui enveloppa les épaules dans sa courte cape de fourrure.
— Il me suffit que tu viennes!
Et comme ils descendaient l'escalier, il ajouta :
— Soit dit en passant, j'ai aussi une question à te poser au dessert. Car il est décidément temps que je te la pose de nouveau.

V

Le samedi, dernier jour de novembre, Nancy se rendit avec toute la troupe à Manchester pour y jouer *Nuit de lune en Arcadie*, et comme il avait été convenu, Madden l'accompagna. La première devait avoir lieu le lundi au Théâtre Royal, et une première de Chesham était toujours un grand événement. Aussi une nombreuse compagnie se pressait-elle au départ, à la gare de St. Pancrace. Nancy était d'excellente humeur. Les bras chargés de fleurs, elle avait été photographiée au centre du groupe par les reporters, qui lui firent ensuite la faveur de la prendre au côté de Chesham lui-même. Catherine, qui connaissait le penchant de Nancy pour la publicité, avait arrangé la chose d'avance avec une agence.

Madden, elle dut le reconnaître, se comporta de façon parfaite. A son habitude, il se tenait constamment auprès de Nancy, mais sans jamais être importun. Il l'entourait de prévenances adroites et discrètes. Avant que le train ne se mît en branle, Catherine put simplement échanger avec lui quelques phrases conventionnelles, et lui recommander encore de prendre soin de sa nièce. En rentrant chez elle, elle avait l'impression d'être mieux disposée à son égard.

Le mardi matin, elle se jeta avec curiosité sur les journaux. Ainsi qu'il était à prévoir, ceux de Londres ne disaient pas grand-chose et se bornaient à faire l'éloge de la pièce. Au contraire, les feuilles de Manchester donnaient des comptes rendus détaillés; et en général, le ton des commentaires était chaleureux. Catherine tomba ainsi sur un passage où un critique louait le jeu de Nancy, et elle en ressentit de la fierté.

Jusqu'ici, elle avait assisté à toutes les représentations où paraissait Nancy, et elle ne doutait pas de son talent. La jeune fille avait beaucoup de dispositions, et excellait surtout dans les rôles de jeunes femmes modernes. Elle les jouait avec un art sans apprêt, juvénile; elle y apportait un charme acide, plein de vérité et d'ironie. Elle ne rendait pas seulement le caractère de ses personnages, elle en faisait aussi la satire. Néanmoins, et bien qu'elle fût fière de Nancy et ravie de la voir s'affirmer, Catherine ne se départait pas à son égard d'une affectueuse réserve. Elle ne pouvait prendre tout à fait au sérieux ses explosions d'enthousiasme lorsqu'elle parlait de sa profession et de sa vocation théâtrale. Le drame, se disait-elle en son for intérieur, est un domaine immense et obscur; et Nancy, avec sa grâce, sa légèreté, et cette soif de bonheur qui était en elle, paraissait vivre dans un tout autre monde. Cela ne l'empêchait pas de se réjouir du succès de la jeune fille. Elle souhaitait que la pièce fît salle comble à Londres pendant quelque temps; et d'ici là, se disait-elle, l'aventure avec Madden suivrait son cours normal ou tournerait court.

Les deux jours suivants, elle fut entièrement accaparée par ses préparatifs de départ. Elle avait en tête des choses plus sérieuses que cette pièce de théâtre. Mais celle-ci lui fut remise en mémoire, le vendredi, de façon absolument inattendue. C'était dans le courant de l'après-midi. Le téléphone sonna et la voix de Madden retentit à son oreille.

— Êtes-vous encore à Manchester? fut la première question de Catherine.

— Non, répondit-il, je suis à mon hôtel. Je suis rentré à Londres, hier, pour une affaire urgente. Je l'ai regretté, mais c'était indispensable.

— Comment va la pièce?

— Oh! bien, très bien, répliqua-t-il avec un peu de hâte, Nancy remporte un succès incontestable. Je vous donnerai des détails de vive voix. Cela vous ferait-il plaisir, miss Lorimer, de venir déjeuner avec moi?

Elle réfléchit. Elle était libre; mais elle ne voulait rien devoir à Madden.

— Non, dit-elle. C'est vous qui serez mon invité.

— Comme il vous plaira. Venez me prendre et conduisez-moi dans un endroit tranquille. Peut-être dans l'un de ces restaurants de Fleet Street dont j'ai tant entendu parler?

Une heure plus tard, ils étaient assis en face l'un de l'autre au *Fromage de Cheshire*. Une vive animation régnait autour d'eux. Madden dut raconter les journées passées à Manchester. Il s'exprimait avec chaleur. La répétition générale avait bien marché, la salle était comble et Nancy avait été tout à fait remarquable. Cependant, Catherine, qui l'écoutait sans l'interrompre et sans quitter des yeux son visage bronzé et mobile, discernait dans ses paroles une légère réticence. Quelque chose en lui ne s'accordait pas avec les mots qu'il prononçait.

— Ils vont raccourcir quelques scènes, conclut-il, et la fin du second acte sera un peu modifiée. Cela n'en vaudra que mieux pour les représentations qui seront données ici.

— Vous n'appréciez pas beaucoup cette pièce? lança Catherine.

— Non, reconnut-il franchement. Ou du moins, je ne la trouve pas assez bonne pour Nancy.

Quoiqu'il ne s'en doutât pas, et bien que Catherine n'eût rien laissé paraître de son sentiment, c'était la réponse qu'elle souhaitait. La simplicité et la franchise de Madden la touchèrent et firent tomber ses dernières préventions. Dès cet instant, elle comprit qu'elle avait de la sympathie pour lui et qu'elle le rencontrerait désormais sans déplaisir.

— Vous aimez beaucoup Nancy, n'est-ce pas? demanda-t-elle.

— Oui, miss Lorimer, et je voudrais bien, aujourd'hui, parler d'elle avec vous.

Ils se turent. Catherine émiettait son pain. Puis elle reprit :

— Vous avez dû penser que nous aurions de la peine à nous entendre. Peut-être n'avez-vous pas confiance en moi; mais dites-vous bien que j'aime infiniment Nancy. Elle est tout au monde pour moi.

Elle leva rapidement ses yeux vers lui comme pour s'excuser, et une légère rougeur lui monta aux joues.

— Je le regrette, je vous parais peut-être sentimentale et démodée, mais j'essaie seulement de vous expliquer mon attitude. Je souhaite si ardemment que Nancy soit heureuse, et je sais bien, malgré tout le cynisme moderne, que l'unique chemin du bonheur pour elle, c'est qu'elle trouve l'homme qui lui convienne, l'homme qui l'aimera réellement, qui l'arrachera à cette sotte existence de théâtre et qui lui créera un vrai foyer... Mon Dieu oui! c'est l'éternelle chanson... Mais qu'elle soit passée de mode ou non, c'est exactement ce que je souhaite à Nancy!

— Croyez-moi, répondit-il avec un profond sérieux, c'est justement ce que je voulais dire. Je suis très heureux de voir que sur ce point vous pensez exactement comme moi. Nancy est une charmante petite actrice, mais hélas, je déteste la voir se galvauder dans des pièces stupides et l'entendre chanter ces niaiseries. A mes yeux, c'est du temps perdu. Si au moins elle pouvait jouer du Shakespeare! N'est-ce pas là le rêve de toutes les jeunes actrices? Et pour parler franchement, si je l'épouse, j'aimerais bien, même si je ne suis pas un Roméo, qu'elle joue Juliette à domicile...

Ce langage qui cadrait si parfaitement avec les sentiments qu'elle éprouvait la fit rire.

— Alors, nous nous comprenons. Nous sommes amis, n'est-ce pas? Et vous serez pour Nancy l'homme qu'il faut...

— C'est une grande joie pour moi, miss Lorimer. Et puisque nous sommes en train de conclure un pacte d'amitié, je voudrais bien, si vous êtes d'accord, vous appeler Catherine.

— Entendu, Chris. Mais à la condition que tu ne me prennes pas pour un dragon!

— Si tu es un dragon, répliqua-t-il gaiement, tu es en tout cas le plus charmant de tous ceux que j'aie jamais rencontrés.

Ils éclatèrent de rire, et la tension qui jusque-là paralysait leurs rapports disparut d'un seul coup. Il y eut un silence. Madden, qui devait trouver que cette explication sur des sujets délicats avait assez duré, n'essaya pas de la reprendre. Il regardait curieusement la vieille salle dont les parois patinées par les siècles portaient de nombreuses marques de ce lointain passé.

— J'avais souhaité de venir une fois ici, dit-il. Peut-être ce souhait te paraît-il très banal et très américain; mais c'est vrai. Et cela me fera toujours une certaine impression de penser que j'ai mangé au *Fromage de Cheshire.*

— La cuisine y est très bonne, dit-elle...

Il se mit à rire.

— Oh! vous savez très bien, miss Lorimer... pardon, Catherine! Tu sais très bien ce que je veux dire. En tout cas, la tarte est excellente. Mais ce qui me frappe surtout, c'est de penser que le docteur Johnson, Boswell et Goldsmith sont venus ici, qu'ils se sont assis sous ce même vieux plafond à caissons, qu'ils y ont bavardé et écrit. Et rien n'a changé. Les garçons en tablier vont et viennent, et hurlent leurs commandes à travers le guichet de la cuisine, exactement comme au temps des diligences. Oui, tu vas me trouver naïf, mais c'est plus fort que moi : j'aime ces choses du vieux temps, et je crois bien que je ne m'en rassasierai jamais.

Son enthousiasme était communicatif.

— Il y a une quantité de ces choses à voir à Londres, dit-elle.

Il fit de la tête un signe affirmatif et se servit de céleri.

— Je sais. J'étais jusqu'ici trop occupé avec Nancy pour trouver le temps de les voir. Je ne voudrais pas lui demander de courir les musées en ma compagnie.

Il sourit de nouveau et redevint sérieux.

— Mais j'aimerais leur consacrer cet après-midi. Il y a bien des découvertes à faire dans la Cité... si je ne me perds pas.

Il y avait quelque chose de si touchant dans sa ferveur que Catherine en fut émue. Elle songea qu'il ne connaissait sans doute pas âme qui vive, à Londres, sauf elle-même, et elle se le représenta demandant son chemin aux agents de police et s'en allant tout perplexe et solitaire, à travers le crépuscule, pour s'égarer dans les cours des vieilles maisons. Elle s'écria vivement :

— Écoute? Si je te servais de guide? Si quelqu'un s'y connaît, c'est bien moi.

Le visage de Madden s'illumina de telle façon qu'elle en fut attendrie.

— Vraiment? Mais je t'ennuierais, et tu as tant de choses plus importantes à faire!

— Oh! le temps, je le prendrai. Puis je ne m'ennuie pas aussi facilement que tu le crois.

Il était une heure et demie lorsqu'ils quittèrent Fleet Street et s'éloignèrent dans la direction du Strand. La haute coupole de Saint-Paul se profilait sur le ciel bleu. Depuis des années, Catherine n'était pas retournée dans ce quartier du centre de la ville, et elle éprouvait une étrange sensation à fouler ce pavé qui avait été dans sa jeunesse le témoin de ses premières courses. Tandis qu'ils longeaient les Law Courts, elle revit ces lieux chers à son cœur : Saint-Clement Danes, avec sa station du Métropolitain, la crémerie où elle déjeunait d'habitude de deux petites saucisses et d'une tasse de cacao. En voyant se dérouler le panorama des jours anciens, elle éprouva une rapide et douce nostalgie. Malgré le progrès, combien tout cela avait peu changé!

Elle conduisit Madden à travers les Inns of Courts, pour lui montrer la maison où travailla Ben Jonson et la chapelle dont le carillon sonne aujourd'hui encore tous les soirs. Ils visitèrent ensuite l'église St. Mary the Strand, où elle s'était souvent rendue durant son heure libre de midi. Madden se découvrit une prédilection pour cette église. Mais Catherine le pressait. Ses pas et ses pensées l'entraînaient irrésistiblement vers Holborn, et c'est le cœur battant qu'elle prit le chemin conduisant à Staple Inn Courtyard. Quelques secondes auparavant, ils étaient encore plongés dans le vacarme et le tumulte de la rue. Soudain, le silence se fit autour d'eux, et ils se trouvèrent devant la vénérable façade, dont la sévérité était adoucie par le pépiement des moineaux dans les grands ormes.

— Que c'est merveilleux! dit Madden comme ils s'asseyaient sur un banc. En plein cœur de Londres! Je n'en ai trouvé la description nulle part... Quel lieu prédestiné pour la rêverie!

— C'est là que je venais rêver, répondit Catherine.

Il la regarda avec attention, ému par le timbre étrange de sa voix. Après une minute de silence, il reprit avec une insistance qui ne lui était pas habituelle :

— Je suis convaincu que tous ces lieux ont une grande signification pour toi. Raconte-moi donc un peu.

— Il n'y a réellement pas grand-chose à raconter...

Se forçant à rire, elle reprit :

— J'avais alors dix-sept ou dix-huit ans, et je travaillais là, tout près. Alors, à mes moments de liberté, je venais parfois ici et je m'asseyais sur un banc... Tu vois, c'est toujours la vieille rengaine sentimentale. Pourquoi t'en rebattre les oreilles?

— J'aimerais bien savoir, dit-il en insistant... Je voudrais bien connaître l'histoire de tes débuts. Je crois que je te comprendrai. Moi aussi, au commencement, j'ai eu des jours difficiles.

Elle était tout étonnée de l'émotion qui l'avait étreinte à revoir ces lieux, mais, avant qu'elle se fût ressaisie, elle avait commencé, aussi bien pour elle-même que pour lui, à évoquer les souvenirs de sa vie de jeune fille. Au-dessus de leurs têtes, le ciel resplendissait d'une lumière dense, chaude et tranquille. C'était un après-midi d'une douceur très rare. A leurs pieds, des pigeons picoraient et se pavanaient. Le bruit étouffé de la ville parvenait comme celui des vagues sur une plage lointaine.

Tout d'abord, Catherine eut de la peine à trouver ses mots, mais la sympathie avec laquelle Madden l'observait l'aida à rassembler ces images lointaines. Elle dit ses débuts de petite dactylo, à la maison Twiss & Wardrop. Dans sa famille, la vie n'était pas gaie, car sous le mince vernis de respectabilité bourgeoise transperçait la nudité de la pauvreté. Son père qui conciliait sa profession de petit courtier sans clients avec une activité d'évangéliste fanatique, avait choisi pour elle cette situation. C'était un homme sévère, au front de pierre et au sourire glacial. Il ne la comprenait guère et n'avait aucun espoir de faire d'elle quelqu'un. Twiss, étant de la même secte que le vieux Sherwood, n'avait pris Catherine chez lui que par complaisance.

Ces médiocres circonstances expliquaient sa précoce ambition, et que son âme sensible se fût renfermée et durcie. Elle voulait montrer à son père et à tous les siens ce dont elle était capable. De vastes projets germaient dans son esprit. Avec ses bas de coton noir et sa pauvre robe, elle était alors une petite personne marquée par les privations, mais adroite et active, toujours pressée de reprendre le travail. La fièvre de la vie londonienne était le plus efficace des stimulants. De ses grands yeux étonnés, elle regardait défiler la richesse et le luxe. Lorsqu'elle sortait, tard, de son bureau étouffant, elle attendait sous la pluie, devant l'Opéra de Covent Garden, pour assister à l'arrivée des personnalités. Entre temps, elle achevait d'apprendre la dactylographie, la sténographie et la comptabilité. Elle se concilia de la sorte l'estime de M. Twiss, et même celle du grincheux M. Wardrop. Par deux fois, ses appointements furent augmentés jusqu'à ce qu'ils atteignissent la somme vertigineuse de deux livres et cinq shillings par semaine. Lorsqu'elle annonça cette grande nouvelle à son père, il ne manifesta d'abord qu'une incrédulité railleuse.

Au bout de quatre ans, alors qu'elle en avait à peine vingt-deux, elle eut enfin sa chance. Le vieil Eugène Hart, dont la boutique d'antiquités se trouvait tout près d'Oxford Street, l'interpella un jour au bureau, et lui demanda si elle accepterait de devenir sa secrétaire privée, aux gages de deux cents livres par an. Eugène Hart était un juif, noir de poil et brun de peau, à l'air bon enfant, et connu pour son habileté. Il venait fréquemment chez Twiss & Wardrop, pour faire réparer des objets anciens, mais plus souvent pour les faire fabriquer de toutes pièces. De son œil aigu, il avait mainte fois observé Catherine, et, avec l'instinct infaillible de sa race, il avait deviné ses qualités.

Pour elle, ce fut un déchirement de quitter la maison Twis & Wardrop, mais l'offre de Hart lui ouvrait des perspectives pleines de promesses. Comme elle n'était pas clouée à sa table de travail, elle s'initia aux finesses du métier. Elle se familiarisa avec les styles et sut bientôt les reconnaître au premier coup d'œil. En compagnie de Hart, elle assista à toutes sortes de transactions, dans les galeries du West End de Londres et aussi dans les demeures seigneuriales d'Écosse. Ayant pu apprécier ses talents, et affligé d'une santé chancelante, Hart la laissa bientôt travailler seule.

C'était pour elle une grande responsabilité que de faire des achats pour Hart; et elle n'oublia jamais le jour où, d'une voix tremblante, elle lança sa première offre dans une vente aux enchères, au milieu d'une foule de marchands aux idées rigides comme leurs chapeaux hauts de forme! Elle y gagna leur considération. Ce n'était pas encore la notoriété, mais lorsqu'elle apparaissait, on commençait à s'intéresser à elle. Elle mettait aussi de l'argent de côté, car, en dehors de ses appointements, Hart lui versait une commission et, quand elle avait réussi des affaires fructueuses, cela faisait au bout du mois une jolie somme. Surtout, elle s'attacha passionnément à son métier; elle en aimait l'atmosphère, les vastes et multiples possibilités.

Eugène Hart mourut trois ans plus tard. Catherine, pour qui il avait été un admirable ami, demeura seule. Lorsque tout le fonds eut été vendu et que le liquidateur de la succession ferma la boutique, il lui sembla que sa vie était finie. Elle se trouvait complètement désemparée, quand un événement inattendu la remit en selle.

Elle avait fait la connaissance d'un avocat du nom de Cooper, dont le cabinet était en plein essor. George Cooper était un jeune homme laborieux et sympathique. Sa vie était parfaitement digne. Par son origine et son éducation, il appartenait comme Catherine à la petite bourgeoisie. Il s'était juré, par amour-propre, de ne jamais renier le milieu dans lequel il était né. Ils se rencontraient assez fréquemment et Catherine prenait plaisir à le voir. Tout naturellement, il s'éprit d'elle et lui demanda de l'épouser.

Pour Catherine, la tentation était grande. Elle avait vingt-cinq ans, un sang généreux circulait dans ses artères. Le travail ne marchait pas; son père, qui était maintenant un vieil homme maladif et grincheux, lui rendait souvent la vie intenable et elle se sentait profondément malheureuse. Quelle joie ce serait pour elle d'avoir un mari, des enfants, un foyer! Chaque fois qu'elle y pensait, une soif de tendresse la tourmentait. Combien l'autre route lui paraissait ingrate et combien peu d'espoir elle avait, en la suivant, d'atteindre enfin son but!

Elle eut une peine terrible à prendre une décision. Mais George la pressait de répondre. Le jour vint (un jour d'hiver comme aujourd'hui) où il lui fallut choisir, choisir entre une carrière et un foyer. Triste, découragée, elle chercha refuge dans cette vieille cour et s'assit là sur un banc pour y livrer son combat solitaire. Lorsqu'elle se leva, l'obscurité était venue et son parti était pris. Le soir même, elle écrivit à George Cooper pour lui signifier son refus; et, en même temps, elle se proposa pour un poste de rédacteur suppléant au *Collector*, une revue mensuelle d'art et de décoration.

Une semaine plus tard, elle faisait partie de la rédaction, et au bout d'une année, elle occupait le poste de rédacteur en chef. Ensuite, elle avait monté sa propre affaire, *Antica, société anonyme à responsabilité limitée.* Désormais, le vent soufflait favorablement. Ses relations d'amitié avec des personnalités de premier plan lui valurent une réelle notoriété dans la profession, aussi bien à New York qu'à Londres. Naturellement, elle avait eu à batailler; qui n'a pas ses difficultés? Mais elle commençait à gagner beaucoup d'argent, et elle le dépensait : elle put prendre soin de sa mère et de Nancy. Dans le plein sens du mot, elle faisait une carrière.

Son récit une fois terminé, il y eut un long silence. Sans la regarder, Madden lui serra fortement la main.

— Je suis heureux et fier, Catherine, que tu m'aies raconté tout cela. Il n'y a qu'une personne qui me fasse de la peine.

— Qui donc? demanda-t-elle.

— George Cooper, répondit-il lentement. Car il doit comprendre ce qu'il a perdu.

Elle sourit avec un peu de tristesse.

— Il n'a pas perdu grand-chose. Je crois qu'il s'est marié, et qu'il a trouvé le bonheur.

Peut-être Madden fut-il gagné par cette sourde mélancolie que laisse si souvent l'évocation du passé. Brusquement, après un regard sur sa montre, il se leva.

— L'heure du goûter est presque passée! Tu dois être gelée d'être restée ainsi sans bouger. Nous allons nous rendre tous deux à ce *tea-room* que tu fréquentais, et nous boirons quelque chose de chaud.

C'était lui maintenant qui avait l'air d'être le guide, et il la conduisit directement, à travers la foule, vers le salon de thé dont elle avait si bien gardé le souvenir. A l'intérieur, il faisait clair et chaud. La théière fumait et sifflait sur le comptoir et, le long des parois, les glaces renvoyaient l'image des serveuses affairées et des groupes de clients qui se restauraient, riaient et bavardaient autour des petites tables de marbre. Ils avalèrent de grandes tasses de thé et croquèrent des toasts beurrés.

— Que c'est bon! dit Catherine.

Tout en mangeant, elle se vit dans la glace, et repoussa sous son chapeau une mèche de cheveux, souvent rebelle, qui lui tombait sur le front.

— Mon Dieu, quelle figure j'ai! Mais je l'ai bien mérité : toute femme qui raconte sa vie devrait être punie.

— Ne te l'avais-je pas demandé? Un jour, je te raconterai, moi aussi, mon histoire.

Elle se mit à rire.

— Pourvu que tu ne me dises pas que tu as vendu des journaux dans les rues de Cleveland...

Il fit une grimace.

— Si. Seulement ce n'étaient pas des journaux, c'étaient des cacahuètes.

— Et naturellement tu allais nu-pieds?

— Oui!

Il mangea d'un air songeur le reste de son toast.

— La seule chose qui me préoccupe est de savoir comment je passerai la soirée. Tu ne peux t'imaginer combien je me sens perdu sans Nancy. Je compterai les minutes jusqu'à son retour.

Il hésita.

— Cela ne te dirait sûrement rien de t'occuper encore un peu de moi ce soir? Et d'aller à un spectacle quelconque en ma compagnie?

Dépliant rapidement un journal qu'il avait acheté dans la rue, il passa en revue, du bout du doigt, la colonne des annonces.

— A en juger d'après les titres, on doit donner, un peu partout, de jolies choses.

— Il ne faut pas se fier aux titres, dit Catherine.

Elle avait le sentiment d'avoir assez fait pour lui ce jour-là; et elle ne tenait pas beaucoup à aller au théâtre. Pourtant elle suivit du regard le doigt de Chris jusqu'au moment où il s'arrêta sur le nom du Savoy, et elle constata alors avec une joyeuse surprise qu'on y donnait du Gilbert et Sullivan.

— *Iolanthe!* s'exclama-t-elle...

Il leva les yeux.

— Tu aimes cette vieille opérette?

Elle rougit un peu.

— C'est moi maintenant qui suis naïve; mais j'adore Gilbert et Sullivan. Peut-être parce que chaque fois que je désirais entendre une de leurs œuvres j'en étais empêchée. Que de fois, dans ce même *tea-room*, n'ai-je pas rêvé d'une place debout pour *Pinafore*, le *Mikado* ou *Iolanthe!* Mais c'était l'école du soir, ou j'avais des heures supplémentaires à faire. Jamais je n'y suis allée...

— Parfait. Alors nous irons ce soir, conclut-il en appelant la serveuse pour la payer.

Ils trouvèrent sans peine des places assez loin en arrière, et ainsi l'on remarquait moins qu'ils n'étaient pas en tenue de soirée. L'orchestre attaqua l'ouverture. Le rideau se leva, et Catherine se sentit aussitôt plongée dans l'enchantement.

Il lui arrivait fréquemment d'être obligée d'assister à la première d'une revue à la mode ou d'une opérette moderne, dont les rythmes trépidants la laissaient indifférente. Ici c'était tout autre chose, et le spectacle s'adaptait à son état d'âme. Ces trouvailles de fantaisie et de mélodie, que cela fût moderne ou non lui importait peu. Au risque de passer pour démodée, elle avouait ouvertement son plaisir.

Mais Madden en éprouvait tout autant, et elle s'en rendait bien compte, quoiqu'il ne parlât pas beaucoup. Aux entractes, il s'abstint de commentaires, et il ne l'importuna pas non plus en lui proposant du café ou des glaces. La plupart du temps, il demeurait assis, tranquille, le menton dans la main et les coudes sur les bras de son fauteuil; ses yeux demeuraient braqués sur la scène. A la sortie, comme ils attendaient un taxi devant la porte, il lui glissa vite :

— Encore une chose pour laquelle je te dois de la reconnaissance.

Et il ajouta :

— Nancy sera très contente de savoir que tu as été si gentille pour moi. Je lui raconterai tout dès son retour.

Catherine sourit.

— Mais non, c'est toi qui m'as tenu compagnie.

— Nullement! répliqua-t-il avec vivacité. Je suis un triste compagnon, et je crains d'avoir été fort ennuyeux aujourd'hui. Je me demande constamment ce qui se passe à Manchester.

Tandis qu'ils roulaient vers Curzon Street, ils pensaient l'un et l'autre à Nancy. Lorsque la voiture s'arrêta, elle l'invita à monter chez elle pour prendre une dernière tasse de thé. Il accepta. Dans l'antichambre, un télégramme reposait sur le plateau d'argent. Elle l'ouvrit et lut :

Première échec total stop Londres ajourné abandon définitif probable rentre demain chérie stop pleure dépit Nancy.

Se mordant les lèvres, Madden lui arracha le télégramme des mains.

— Pauvre petite! C'est trop affreux! Je n'aurais pas voulu que sa carrière s'achevât ainsi...

Et presque aussitôt, il prit congé de Catherine.

VI

Le dimanche, à dix heures du matin, Nancy fit son apparition à Curzon Street. Elle avait passé la nuit dans le coin d'un compartiment de troisième classe, pauvre petite créature abandonnée et accablée. Le reste de la troupe était demeuré à Manchester pour faire le voyage de jour; mais elle avait éprouvé le besoin de rentrer aussitôt à la maison. L'échec de cette pièce, sur laquelle elle avait fondé de si grands espoirs, l'avait terriblement affectée. Tandis que le train fonçait dans l'obscurité, sa figure pâle reflétait toute l'étendue de sa déception. Elle avait perdu son expression d'habituelle légèreté, et le joyeux petit masque sous lequel le monde la connaissait. Tous ceux qui jugeaient Nancy sur ses airs de jeune fille entreprenante et jolie auraient dû la voir à ce moment-là. On aurait dit une enfant qui vient d'être grondée.

Cependant, elle s'était ressaisie avant d'arriver à Londres. Comme elle disait, on aurait pu la hacher en petits morceaux sans qu'elle laissât rien paraître. Elle poudra ses joues qui portaient les marques du long voyage, et peut-être aussi d'une larme fugitive. Mais, au moment d'arriver, elle avait déjà prémédité une petite mise en scène en style d'opéra; et elle se jeta dans les bras de Catherine, qui l'attendait pour prendre avec elle le petit déjeuner.

— Catherine, ma chérie! s'écria-t-elle comme si elles avaient été séparées depuis des années.

Elle appuya sa joue contre celle de la jeune femme, bouscula un coussin, se laissa tomber à côté d'elle sur le divan.

— J'ai fait un voyage affolant, là-haut dans le Nord!

Catherine avança la théière.

— Déjeune d'abord, puis tu me raconteras tout.

— Chérie!

Nancy eut un frisson théâtral.

— Il me serait impossible d'avaler une bouchée. Je suis si terriblement énervée!

— Quoi? Tu n'as encore rien pris aujourd'hui?

— Rien, rien du tout! Rien qu'une petite omelette, ou quelque chose d'approchant, et du toast, et du jus d'orange... Ah! j'oubliais...

Tiraillée entre le goût de la tragédie et ses habitudes d'enfant gâtée, elle jouait son rôle.

— Je te dis que j'ai tourné en rond comme une folle!

— As-tu déjà vu Chris?

— Oui, il a été très gentil, vraiment idéal. Il est venu me chercher à la gare et m'a conduite à la maison. Mais je voulais te voir, Catherine, et parler avec toi seule.

— Très bien, dit Catherine, rassurée.

Elle lui versa du thé, la servit de sucre et de crème.

— J'avais bien pensé que tu viendrais. Il ne faut pas te faire des cheveux gris pour cette pièce.

— La pièce? s'écria Nancy avec une grimace. Si au moins c'était une pièce! Peut-être aurait-on pu en tirer quelque chose, si la Renton, cette lamentable Renton, ne l'avait pas tuée. Elle l'a si bien massacrée, qu'à la fin on se serait cru devant un mouton égorgé. Il n'y a rien à attendre de cette femme-là. Elle n'a aucun talent et n'en aura jamais. Et surtout elle est trop vieille. Ah! Si j'avais eu son rôle. Catherine! Telle que je suis — merci pour le compliment! — j'aurais sauvé la pièce. Tout au moins, j'aurais repêché cette malheureuse représentation. Ah, Catherine! Moi qui comptais sur un grand succès à Londres! Cela m'aurait tellement aidée dans ma carrière, en ce moment.

Sous le coup du chagrin, elle engloutit d'un trait sa tasse de thé.

Catherine réprima un sourire. Malgré l'énervement de ce long voyage nocturne, Nancy n'avait jamais été plus jolie que ce matin-là, tandis qu'elle se laissait emporter par une émotion à la fois sincère et feinte. Sans aucun doute, se disait Catherine, Nancy ressent une vive jouissance à se prouver à elle-même ses talents dramatiques, et cela ne lui va pas mal du tout.

— C'est lamentable, déclara finalement Catherine, mais est-ce vraiment la peine de te tourmenter?

— Vraiment la peine?

Nancy se redressa avec indignation.

— Quelle question stupide, Catherine!

— Je pensais, répliqua celle-ci toute songeuse, à notre ami Madden.

— Ma chère, protesta Nancy, je sais d'avance où tu veux en venir. J'adore Chris. Mais j'adore également le théâtre. Comme artiste, j'ai en définitive des devoirs envers moi-même. Tu sais les brillants débuts que j'ai faits, et la rapidité avec laquelle je me suis affirmée. Et, juste au moment critique, voilà que je tombe dans cette trappe! C'est vrai, la pièce était bête et l'échec était mérité. Mais je me suis engagée, je suis prise, et je ne puis pas me dédire, ce serait trop lâche.

Elle sauta sur ses pieds et commença à arpenter la chambre.

— Non, ma très chère Catherine. Ce serait la faillite totale. Je suis résolue à épouser Madden, mais je veux d'abord connaître le succès. Je veux me justifier à mes propres yeux. Il me faut le succès, le succès...

— Hum! je vois..., dit Catherine.

Il se fit un silence. Nancy cessa ses allées et venues, et, par un brusque changement, ses traits exprimèrent une ardente supplication.

— Il n'y a qu'une façon dont tu puisses m'aider, commença-t-elle en se plantant devant Catherine avec un regard et une attitude qui évoquaient à la fois le jeu de la Duse, d'Ellen Terry et de Sarah Bernhardt. Tu dois m'aider!

— Moi? Mais comment, Nancy?

— Ne me dévisage pas comme si j'étais folle, chérie, tu sais bien à quoi je pense.

— Tu aurais besoin d'un rôle dans une nouvelle pièce?

— Exactement!

Nancy se laissa tomber en soupirant sur le tabouret du piano, et plaqua quelques accords solennels.

— Juste en ce moment, Catherine, tu peux intervenir pour moi. Tu as une si grande influence... Oui, vraiment, tu fais des gens ce que tu veux. Tout le monde t'écoute. Par exemple, Sam Bertram.

— Pourquoi précisément Bertram?

— Parce que... — Nancy plaqua un nouvel accord — parce que, si tu ne le sais pas encore, Bertram va partir pour New York avec sa nouvelle pièce *Dilemme*. Et parce qu'il n'a pas encore recruté sa troupe. Et parce qu'il y aurait là un rôle fameux pour moi!

— Mais, Nancy, c'est impossible! riposta vivement Catherine. Je ne peux pas lui demander un pareil service.

— Tu dois, chérie, reprit Nancy en appuyant généreusement sur la pédale forte. Tu le dois si tu ne veux pas ruiner ma vie et me plonger dans le malheur.

— Non, réellement! protesta Catherine pour la seconde fois.

— Tu le dois, répéta Nancy. Il y a dans *Dilemme* un rôle qui semble écrit pour moi. Pas un grand rôle, chérie, mais exactement celui qu'il me faut. Si on me le donnait, je ressusciterais les morts. Mais ce n'est rien encore. Je pourrais surtout partir pour l'Amérique avec toi. Je veux y aller avec Chris; ses affaires le réclament. Il a décidé de m'emmener et de m'épouser là-bas. Tu vois donc comme tout s'arrangerait admirablement si tu pouvais me faire engager dans la tournée de Bertram? Nous nous embarquerons tous les trois ensemble, et nous ferons un merveilleux voyage.

Catherine considéra fixement Nancy; et, comme toujours, elle éprouvait une surprise mêlée de méfiance à l'idée que cette petite diablesse de nièce, si prodigieuse de ruse et de candeur, la menait par le bout du nez. Mais, malgré elle, cela l'amusait.

— Il me semble que tu as soigneusement médité ton affaire, depuis longtemps déjà?

— Cela va de soi, chérie!

— Mais rien ne dit que Bertram se laissera aussi facilement convaincre que moi!

— Tu n'as qu'à le lui demander! s'écria Nancy.

Catherine réfléchit encore un moment puis céda.

— *All right*, conclut-elle, j'essaierai.

— Que tu es bonne!

Plaquant un dernier accord sur le clavier, Nancy se précipita sur Catherine et lui jeta les bras autour du cou.

— Oh! je savais bien que tu le ferais! J'avais confiance en toi. Je suis si heureuse! Et je sais que lorsque tu entreprends quelque chose, c'est gagné d'avance.

Elle regardait Catherine dans les yeux avec l'expression de la plus tendre gratitude. Puis, après un rapide coup d'œil sur la minuscule montre de platine qu'elle portait au poignet:

— Il faut maintenant que je me sauve. J'ai promis à Chris de le retrouver à onze heures. Il est toujours si gentil et je déteste le faire attendre. Va aujourd'hui, Catherine, va aujourd'hui même chez Bertram, ou en tout cas demain matin. Adieu et encore un million de mercis.

Après le départ de Nancy, Catherine se sentit assez perplexe. D'une part, elle ne pouvait se défaire de l'idée que Nancy la mettait à contribution avec autant de calcul que de gentillesse; mais de l'autre, elle se disait qu'aucun service qu'elle pouvait lui rendre n'était trop grand pour son affection. Il était exact qu'elle avait une certaine influence sur Bertram. Si Nancy était bien informée, Catherine parviendrait peut-être à le convaincre. Bien qu'il lui fût pénible, avec sa nature indépendante, de solliciter une faveur, elle se rendait compte qu'elle ferait ainsi un immense plaisir à Nancy, qui avait mis toute sa confiance en elle. Sa physionomie s'éclaira, et déjà elle étendait la main vers le téléphone. A vrai dire, elle doutait que Bertram fût resté à Londres durant le week-end, mais elle apprendrait au moins par Winter, son valet de chambre, où elle pourrait l'atteindre la semaine suivante.

La voix profonde de Winter, facile à reconnaître, se fit entendre à l'autre bout du fil. Avec une légère hésitation et sur un ton de mystère, il répondit que son maître était bien à la maison.

— Parfait, s'écria Catherine. Alors, dites-lui que je vais tout de suite venir le voir pour quelques minutes.

— Oh non! miss Lorimer, répliqua Winter, ce n'est guère possible...

— Pourquoi donc? Il ne sera pourtant pas occupé toute la journée.

— Je regrette, miss Lorimer. Mais il est souffrant.

— Souffrant?

L'intonation de Winter avait quelque chose d'angoissé.

— Qu'a-t-il donc?

Après un silence plein de réticences, la voix reprit avec une inflexion de majestueuse discrétion :

— Si miss Lorimer désire le savoir, monsieur a mal aux dents.

Il y avait tant de solennité dans cette déclaration que Catherine eut peine à contenir un fou rire. Pour ne pas froisser les sentiments de Winter, dont elle connaissait l'extrême susceptibilité, elle s'empressa de raccrocher l'appareil. Elle persistait pourtant dans son intention de rendre visite à Bertram. Du moment qu'elle voulait faire plaisir à Nancy, mieux valait ne pas tarder.

Vers trois heures, elle pensa que la mâchoire de Bertram le faisait moins souffrir, et elle se mit en route pour Portman Square. Elle sonna au numéro 16, et Winter en personne, toujours grand, maigre et digne, lui ouvrit.

— Je regrette beaucoup, miss Lorimer..., commença-t-il.

Elle avait remarqué qu'il ne savait pas encore très bien s'il devait la laisser entrer ou non. Avant qu'il n'ait eu le temps de prendre sa décision, elle était déjà dans le vestibule et lui adressait un sourire rassurant :

— Cela va bien, Winter, je connais le chemin.

Sous les yeux du serviteur interloqué, elle pénétra dans le

bureau où, connaissant ses habitudes, elle s'attendait à trouver Bertram.

Elle ne s'était pas trompée, mais plutôt par l'effet du hasard que grâce à sa propre sagacité. Bertram n'était pas en train de travailler. Enveloppé dans une robe de chambre et la tête emmitouflée dans un châle écossais, il était affalé au coin du feu, image vivante de la détresse et de la misère humaines.

— Alors quoi, Bertie! s'écria Catherine, est-ce donc si terrible?

— Encore pis que cela, grogna-t-il.

Au bout d'un instant, il tourna péniblement la tête et la regarda avec des yeux qui louchaient.

— Que diable voulez-vous de moi?

Bien qu'elle fût pleine de compassion, il faisait une figure si piteuse avec son châle et sa joue enflée qu'elle eut de la peine à se retenir de rire. En hâte, elle expliqua :

— Je viens une minute en passant, et j'en suis bien heureuse. Permettez-moi de vous soigner.

— Vous n'y pouvez rien, marmotta-t-il tristement. Je ne veux pas être dérangé, et je l'ai dit à Winter.

— Winter n'est pas responsable. Voyez-vous, Bertie...

— Je ne veux pas vous écouter. Mal aux dents, atroces douleurs faciales! Je ne songe pas en ce moment à acheter des antiquités.

— Mais je ne veux rien vous vendre!

— Vous ne seriez pas venue pour rien. Je vous connais! Surtout un dimanche. Allez-vous-en, Catherine!

— Non, je ne m'en vais pas, déclara-t-elle résolument en s'approchant d'un pas. Je ne peux pas supporter de vous voir souffrir ainsi, Avez-vous été chez le dentiste?

— Je hais les dentistes! N'y suis jamais allé. Je hais toute la société...

Un nouvel accès lui arracha des gémissements et le renversa dans son fauteuil.

— Un abcès. On ne voit rien. Il n'y a rien à faire.

— On peut pourtant arracher la dent, répondit Catherine.

— Arracher?

Il sursauta.

— Sans injection, arracher à chaud? Êtes-vous folle? Cette femme s'imagine que je suis en fer. Grand Dieu, pardonnez-lui!

Indigné, il tourna le dos à Catherine, et, soutenant sa joue enflée, commença à la bercer doucement.

Catherine, qui l'observait avec une tendre sollicitude, reconnut une fois de plus l'exactitude de cette vieille formule peut-être usée, mais toujours vraie, selon laquelle les hommes peuvent se comporter comme de vrais enfants, surtout quand ils n'ont pas de femme pour veiller sur eux.

— Laissez-moi voir, Bertie.

— Pas question!

— Il le faut. C'est tout de même ridicule de traîner ainsi votre mal.

Elle se rapprocha encore d'un pas. L'œil de Bertram, qui seul bougeait encore dans sa face enflée, roula farouchement de côté. Pelotonné comme un chien de manchon qu'on menace de la cravache, il s'abandonna à son destin, et ouvrit la bouche. Le chicot d'une molaire mettait une tache sombre dans la gencive enflammée.

Après avoir déterminé la cause de tant de souffrances, Catherine reprit sa place devant la cheminée et médita le cas.

— Voyez-vous, Bertie, c'est une folie de laisser les choses dans cet état. Il faut enlever la dent tout de suite.

— Impossible, répliqua-t-il d'une voix blanche. On ne peut faire d'injection...

— Le gaz hilarant! répliqua laconiquement Catherine.

Il pâlit sous le châle dont il s'était de nouveau entouré la tête. Seul son instinct de conservation le soutenait encore.

— Le gaz?

— Naturellement, Bertie. On vous administrera le gaz hilarant.

Il fit un suprême effort de résistance :

— Je ne supporte pas la narcose. Rien que d'y penser, je me sens défaillir. Jamais de ma vie je n'ai subi de narcose!

— Eh bien, ce sera la première fois, déclara sévèrement Catherine. J'appelle maintenant le docteur Blake, et il vous arrachera cette misérable dent en un tournemain.

— Non, non. Essayez seulement! Une fois endormi, je mourrai, pour toujours. Je vais d'ailleurs déjà mieux. Vraiment tout à fait bien... aïe... aïe!...

Tout en protestant, il faisait de laborieuses tentatives pour se lever de son fauteuil, lorsqu'une nouvelle crise l'abattit sur son siège.

Catherine fixa son vieil ami d'un air aussi compatissant qu'inflexible. Puis, quittant la chambre, elle passa dans le vestibule, d'où elle téléphona au docteur Blake, son propre dentiste, qui habitait tout près, dans Queen Ann Street, et le pria de venir. A Winter qui se tenait désemparé et livide comme une ombre, elle demanda de l'eau chaude et des serviettes propres.

Elle demeura dans le vestibule jusqu'à l'arrivée du docteur.

— Tenez bon, lui recommanda-t-elle, et faites vite.

— Compris, miss Lorimer, répliqua-t-il en riant. Ne remets jamais au lendemain ce que tu peux faire aujourd'hui.

Ils retrouvèrent leur victime dans une chambre du haut. Humblement, il s'en remettait à son destin et se sentait même trop faible pour se débattre. En une minute, l'appareil fut prêt à fonctionner. Bertram jeta un regard furtif sur les cylindres sombres et sur les tuyaux rouges, et se mit à grelotter comme s'il soufflait un vent glacial.

— Je n'y survivrai pas, murmura-t-il d'une voix défaillante. Vous m'assassinez!

— Ne dites pas de bêtises, déclara Blake avec bonne humeur.

— Ne faudrait-il pas une chaise longue spéciale, ou quelque chose de semblable? balbutia Bertie.

— Tout à fait inutile, répondit Blake toujours cordial.

Il retroussa sa manche droite selon toutes les règles de l'art.

— Desserrez votre col et asseyez-vous gentiment.

Le patient répondit par un ricanement de douleur.

— S'asseoir gentiment! répéta-t-il en un écho mourant.

Si ma dernière heure n'était pas arrivée, je vous rirais au nez...

A cet instant la porte s'ouvrit et Winter s'avança, une cuvette à la main, solennel comme un bourreau qui va répandre des flots de sang. Ce fut le dernier coup. Bertram ferma fortement les yeux. Lorsque Blake lui plaça le masque de caoutchouc sur le visage, quelques mots s'échappèrent encore du fond de sa gorge contractée :

— Tenez-moi la main, Catherine. Au nom du Ciel, tenez-la fort...

Trois minutes plus tard, il ouvrit les yeux, et, interdit, regarda le docteur Blake qui rempaquetait ses instruments en sifflotant. Winter et sa cuvette avaient disparu. Disparus également — et ce fut dans l'esprit de Bertram, comme l'aube qui se lève! — la dent, la douleur, et tout le cauchemar. La certitude du miracle l'accablait. Il resta tranquillement assis jusqu'à ce que le dentiste fût parti. Alors il se mit sur son séant, et regarda Catherine avec un long sourire où se lisait sa délivrance.

— C'est vous..., déclara-t-il.

Il voulut s'assurer qu'il n'était pas l'objet d'une illusion et se tâta la joue. Puis il rit de nouveau, comme un enfant.

— Merveilleux, cet éther. N'est-ce pas que j'ai été assez courageux?

— Admirable de courage, Bertie.

— Par le diable, ce n'était pas très drôle. Tout le monde ne l'aurait pas pris de cette manière. Quand je pense à la narcose et à tout le reste...

— Oui, vous vous êtes bravement comporté! Et c'était une épouvantable dent.

Suivant le regard de Catherine, il découvrit la molaire; elle reposait près de lui, sur un lit de coton. Il s'en empara et la considéra avec fierté.

— Ah! la voilà! Une grosse racine enflammée. Mieux vaut qu'elle soit dehors que dedans, hein, Catherine! Dieu merci, j'ai de bons nerfs, et c'est ce qui m'a permis de résister.

Levant soudain les yeux, il perçut dans le regard de la

jeune femme quelque chose qui le fit sursauter, tel un écolier pris en faute. Il la fixa comme s'il n'avait pas la conscience tranquille, puis baissa lentement la tête. Les coins de sa bouche se mirent à frémir, et finalement, il partit d'un bruyant et joyeux éclat de rire, qui dura longtemps.

— Ciel! Catherine... Comme j'ai tremblé dans ma culotte! Et comme c'était bien de votre part, de me faire ainsi violence! Sans vous je souffrirais encore l'enfer sur la terre.

Il étendit la main et sonna.

— Maintenant, nous allons prendre du thé. J'ai faim. J'ai un appétit féroce. Je n'ai rien mangé de la journée, vous savez.

Elle secoua la tête.

— Non, je serai la seule à boire du thé. Ce qu'il vous faut c'est une bonne soupe fortifiante.

— Bonne idée! J'ai besoin de nourriture. Il me semble que je n'ai pas mangé depuis une semaine.

Un peu plus tard, après que Winter fut venu et reparti, et que Bertram, la serviette nouée autour du cou, eut attaqué à vigoureux coups de cuiller un savoureux potage, il s'écria :

— Catherine, vous avez manqué votre vocation. Vous auriez dû devenir infirmière ou doctoresse. Mais non, je radote. Vous auriez dû vous marier. Avec moi, par exemple.

Il brandit sa cuiller.

— Ce serait une idée. Épousez-moi, Catherine, et faites de moi un homme comme il faut.

Elle se contenta de rire sans répondre.

— Si vous ne voulez pas de moi comme mari, que puis-je pour vous? Mais, je vous en prie, ne me demandez pas de vous acheter quelque chose; ma nouvelle tournée me ruine.

Catherine soupira. Bien qu'elle eût préféré aborder le sujet elle-même, ces paroles lui fournissaient une entrée en matière qu'il ne fallait pas laisser échapper.

— Eh bien, Bertie, j'ai une prière à vous adresser. Il s'agit justement de votre tournée. Ne voudriez-vous pas donner un rôle à ma nièce Nancy Sherwood?

Ce fut beaucoup moins l'objet de la requête qui le frappa,

que l'insistance avec laquelle elle était formulée. Lentement, il arriva au fond de son assiette.

— Ah, ah! C'est donc ça? Elle vous a lancé à mes trousses. Le sacré petit diable...

— Certainement, elle est rusée, rétorqua vivement Catherine, et vous savez qu'elle est une bonne actrice.

— Oui, concéda-t-il, elle n'est pas mauvaise.

Il se tut.

— Et elle a du chien. J'ai entendu parler aussi de la production au pied levé, à la radio. Ce sont des choses qui se racontent.

Il se tut de nouveau.

— Hum, il vaudrait tout de même mieux qu'elle attende encore un peu. Dans un ou deux ans, elle aura plus d'expérience.

— Dans un an ou deux, ce sera trop tard, déclara vivement Catherine. Elle se mariera bien avant et quittera l'Angleterre. C'est maintenant, tout de suite, qu'il lui faut un rôle. Vous comprenez, Bertie, avec sa nature, elle veut se prouver à elle-même ce dont elle est capable. Si elle quitte le métier, elle veut pouvoir le faire sur un succès.

Il écoutait, tout songeur.

— Je vois où la chatte a mal aux pieds...

— En outre, poursuivit-elle hâtivement, j'aimerais tant qu'elle vienne avec moi en Amérique. Il s'agit de son avenir, de son bonheur, de tout ce qui compte dans sa vie.

Il y eut une pause. Pendant un bon moment Bertram se passa pensivement la main sur le menton.

— Entendu, Catherine, déclara-t-il. Et c'est bien pour vous que je le fais. Il y aurait là un rôle pour Nancy, taillé sur mesure. Dites-lui de passer demain à mon bureau.

Rougissante de joie, Catherine sauta sur ses pieds, et lui prit les deux mains.

— Merci, Bertie, s'écria-t-elle, je ne l'oublierai jamais!

— Ce n'est rien. Je pense d'ailleurs que Nancy sera une bonne partenaire pour Paula Brent qui tient le rôle principal.

Il ne cachait pas le contentement qu'il avait à lui faire plaisir.

Peu après, elle prit congé. Elle éprouvait un vif soulagement et se précipita chez elle pour téléphoner à Nancy. Son départ pour l'Amérique lui apparaissait désormais sous de nouveaux et plus heureux auspices. Elle avait toujours rêvé de faire une fois ce voyage avec Nancy. En outre, et comme elle devait se l'avouer en grand secret, ce fut pour elle une grande joie de penser que Madden serait du voyage.

VII

L'avant-veille du départ, le temps était brouillé et brumeux. Un soleil d'un rouge éteint clignait de temps à autre, comme un gros œil, au-dessus des nuages jaunâtres. Dans un compartiment réservé du train qui filait vers Southampton, à travers des paysages de cheminées noires, ils étaient là tous quatre; car Charley Upton avait pris l'habitude sentimentale, à chacune des traversées de Catherine, de l'accompagner au bateau.

Madden et Upton, qui étaient assis en face l'un de l'autre, avaient noué connaissance en parlant football; tandis que Nancy, son manteau de fourrure dans le filet et son nouveau nécessaire de toilette à ses côtés, feuilletait nerveusement les journaux illustrés avec l'espoir d'y trouver une photographie d'elle ou de ses camarades. Elle avait ressenti une légère déception à l'idée que Bertram et la troupe ne prenaient pas passage à bord de *Pindaric*, mais s'embarqueraient deux jours plus tard sur l'*Impérial*, un paquebot plus rapide, et, comme elle ne manqua pas aussi d'en faire la remarque, plus élégant. Cependant, elle s'était déjà remise de ce coup du sort.

Catherine éprouvait un sentiment de légèreté inaccoutumé. Elle se sentait portée à l'optimisme et la vie lui apparaissait digne d'être vécue. Il était bon aussi d'avoir des amis. Bertram, par exemple, s'était montré extraordinairement gentil, et quelle joie de se trouver en compagnie de Nancy et de Madden! Ses pensées galopaient. Dans les prochaines semaines, elle vendrait la miniature à Brandt, se libérerait de tous ses tracas d'affaires, et elle assisterait au bonheur de Nancy. Soudain elle s'aperçut que celle-ci se penchait vers elle.

— Regarde donc, Catherine, dit-elle avec un petit sourire maniéré, la photo qu'on donne de moi. La trouves-tu bonne?

Catherine jeta les yeux sur le journal. Le portrait était récent et fort joli. Il avait été pris sous un angle tout à fait imprévu, en pleine lumière. On voyait Nancy de bas en haut, la chevelure rejetée en arrière, et pareille à Hermès, le messager des dieux, prenant son vol.

— Excellent, approuva Catherine, avec chaleur, et très original!

— Ce n'est pas par vanité, dit Nancy, mais c'est si important pour moi. Tu sais, pour la réclame et le reste!

Madden et Upton contemplèrent également le portrait, et Upton se préoccupa particulièrement de la ressemblance.

— La ressemblance, interrompit Catherine, est souvent une question de point de vue. Voici par exemple un portrait dont les gens prétendent qu'il me ressemble. Je ne puis juger si c'est vrai ou non. Rendez-vous compte vous-mêmes.

Elle fit claquer la serrure de l'étroit et luxueux petit coffret dont elle ne se séparait pas, en retira la miniature et la leur tendit. Le Holbein circula de main en main, dans un profond silence. Madden le contempla longtemps et déclara enfin :

— C'est certain, il te ressemble, Catherine. Et c'est un ravissant petit tableau.

Upton, qui regardait par-dessus son épaule, fut de son avis.

— A quel prix, ajouta-t-il, pourrait-on le vendre à un Américain?

— Pour vingt mille livres, j'espère, dit Catherine en riant.

— Ça les vaut, dit Madden gravement. C'est une œuvre de grande classe.

Nancy, à l'autre bout du wagon, intervint dans un éclat de rire :

— Peut-être le voudrais-tu pour toi, Chris?

— Certainement, répondit Madden avec bonne humeur.

Il rendit le petit tableau à Catherine qui le replaça dans le coffret.

Upton regarda sa montre, ce qui indiquait moins chez lui le souci de l'heure que le désir de se restaurer et de se désaltérer.

— Si nous déjeunions? demanda-t-il. J'ai une faim de loup, et j'ai retenu une table au wagon-restaurant pour midi.

Le repas se déroula le mieux du monde. Catherine était d'excellente humeur et donna gaiement le ton. Puis ils arrivèrent à Southampton, et un instant après le train s'arrêtait à la station maritime, devant une longue lignée de *stewards* en veste blanche dont les casquettes portaient des noms de bateaux. En bordure du quai, se dressait la puissante masse noire du *Pindaric*. Bien qu'un pareil voyage ne fût pas pour elle une nouveauté, Catherine n'en éprouvait pas moins, au moment de l'embarquement, la fièvre de l'aventure. L'habitude n'avait pas tué le plaisir qu'elle y trouvait chaque fois. Aspirant l'air frais de la mer avec une joie impatiente, elle s'accrocha affectueusement à Nancy pour franchir la longue passerelle.

A son arrivée à bord, elle reçut un accueil triomphal. Elle avait si souvent fait le voyage sur le *Pindaric* que tous les hommes d'équipage la connaissaient, et ils manifestèrent à sa vue une respectueuse et vive satisfaction. Cette réception flatteuse fut douce comme du miel à Nancy, qui en était encore à faire son apprentissage.

— Dis-moi, est-ce que par hasard le bateau t'appartiendrait? demanda-t-elle lorsqu'elles eurent défilé devant la haie des serveurs.

— Si tel est le cas, répondit Catherine en riant, alors il est à ta disposition.

Elles avaient une grande cabine double avec porte de communication, sur le pont C. Celle de Madden se trouvait plus en arrière, à tribord. Nancy se plongea aussitôt dans le désordre de télégrammes, de billets et de fleurs qu'elle s'était attendue à trouver, tandis que Catherine s'entretenait avec

Mrs. Robbins, la femme de chambre qui la servait à chaque traversée. Un peu plus tard survint M. Pym, le commissaire du bord. C'était un homme replet, aux joues rouges, aux yeux saillants. Il louchait, mais il dissimulait habilement cette petite infirmité en regardant de côté.

— Enchanté, déclara-t-il en gardant la main de Catherine dans la sienne comme si c'était un privilège, enchanté, que vous soyez des nôtres, miss Lorimer! J'espère que nous aurons une bonne traversée. Si je puis faire quelque chose pour vous, vous n'avez qu'un mot à dire.

— Alors, je vous prie de mettre cela dans votre coffre, répondit Catherine en lui tendant la miniature.

Il la reçut avec la déférence qui convenait.

— Ah! oui, j'en ai entendu parler, miss Lorimer. Vous pouvez avoir toute confiance, elle sera bien gardée.

Il se frotta doucement les mains et franchit la porte à reculons.

— Permettez-moi de vous faire porter des fruits. Rien de plus agréable que quelques fruits dans une cabine!

C'était là l'une des formules consacrées de l'honorable M. Pym, mais il la réservait à ses passagers préférés. En fait, il était à peine parti qu'un domestique apparut avec une coupe de magnifiques fruits de serre.

— Chérie, comment t'y prends-tu? s'écria Nancy. Quelle réception princière! C'est un vrai conte de fées...

— Je ne sais pas, répliqua Catherine, un peu distante. Je ne m'en soucie guère, et tous ici savent très bien que je n'ai rien d'une altesse.

— Il n'y a rien de plus agréable que quelques fruits dans une cabine, poursuivit Nancy en parodiant de façon parfaite le digne commissaire du bord. Et vous avez amené votre nièce! J'espère que nous aurons une bonne traversée. Avec des fruits dans la cabine!

Elle se tordait de rire, mais il y avait dans son rire une petite dissonance pénible.

— Le vieux est grotesque, ne trouves-tu pas?

Catherine refusa de s'associer à cet accès de gaieté.

— Je n'aime pas, Nancy, répondit-elle tranquillement,

que tu parles ainsi! Ce vieux grotesque est l'un de mes meilleurs amis. Depuis mon premier voyage, il m'a rendu une quantité de services. Je n'étais alors pas plus âgée que toi, mais j'étais bien nerveuse et trop timide pour adresser la parole à âme qui vive. Il eut pour moi des soins de mère, me présenta à d'autres passagers. Tu as beau le trouver ridicule, il y a beaucoup de gens très connus qui s'estiment heureux d'appeler M. Pym leur ami. C'est un chic type!

— Catherine chérie, s'écria Nancy dont la mimique railleuse avait fait place à une mine de parfaite contrition, tu ne m'as pas comprise! Je ne savais pas que tu tenais tant à lui, et je suis très touchée, moi aussi, par son amabilité.

Catherine retrouva son rire.

— Ça va bien. Je savais que tu n'y mettais pas de méchanceté; du moment que tu te sens bien ici, je suis satisfaite.

Quelques minutes plus tard, elles montèrent sur le pont-promenade, où Upton et Madden les attendaient. La menace de la séparation était déjà dans l'air. Un *steward* donna le premier coup de gong, et ceux qui ne partaient pas commencèrent à quitter le navire.

— Il faut que je m'en aille, dit Charley avec un profond soupir. Promets-moi, Catherine, de bien te soigner, et cætera, et cætera...

— Naturellement, Charley.

Comme à chaque séparation, il paraissait si accablé de chagrin que le cœur de la jeune femme s'émut. Il lui portait un attachement si fidèle, si dévoué et si éperdument sentimental, qu'elle en était chaque fois touchée au point de ressentir pour lui presque de la tendresse.

— Bon sang! poursuivit-il, chaque fois que tu t'en vas, je me sens dans un piteux état. Si tu m'abandonnes trop longtemps, et si je ne pars pas à ta recherche pour te ramener de mes propres mains, je veux bien être pendu!

La sirène poussa un long gémissement, et tout à coup, une légère vibration ébranla l'énorme coque. L'instant était émouvant. Upton dit adieu à Nancy et à Madden, pressa la main de Catherine dans les siennes, et, détournant la tête, descendit la passerelle en courant. Une telle tristesse émanait de sa silhouette que Catherine en fut bouleversée. Tandis que Nancy et Madden, appuyés au bastingage, suivaient des yeux les opérations du départ, elle s'éloigna et monta sur le pont supérieur.

Baignée dans la légère brume marine, elle se mit à faire les cent pas dans un coin solitaire, et brusquement, elle se sentit sombrer dans un abîme de mélancolie. Tiré par deux remorqueurs, le navire piqua vers le soleil couchant. Bientôt, la vibration s'accentua et alla en s'accélérant. La proue fendait avec une vitesse croissante les flots d'un brun pâle, des mouettes tourbillonnaient au-dessus du sillage en poussant leurs cris discordants, et peu à peu la terre ferme s'effaçait à l'horizon. C'étaient des minutes étrangement graves et exaltantes, et bien que Catherine résistât à la tentation d'analyser ses impressions, elle éprouvait une curieuse sensation d'incertitude. La vie lui apparaissait sous un jour nouveau, avec des contours vagues et troubles. Un bruit de pas qui s'approchaient coupa court à ses réflexions désenchantées. Se retournant, elle aperçut Madden. A l'instant, ses doutes s'envolèrent, et cette présence amie lui causa un vif plaisir.

— Nancy m'a renvoyé, expliqua-t-il. Elle est rentrée dans sa cabine pour s'étendre un peu.

Elle répondit par un signe de tête, et pendant un moment ils se promenèrent, sans mot dire.

— Ne devrais-tu pas mettre ton manteau? demanda-t-il enfin. Il fait froid.

— Non, je me sens bien.

Ils se taisaient de nouveau depuis quelque temps lorsque subitement il se mit à parler, mais comme s'il avait eu de la peine à s'y résoudre :

— Ce Upton est un gentil garçon. Au premier abord, il paraît léger et insouciant, mais il a le cœur à la bonne place.

Il eut une hésitation.

— Et puis, il est terriblement amoureux de toi...

Catherine ne répondit pas.

— Cela me trotte constamment par la tête, reprit-il d'un air un peu gêné et même troublé. Je me mêle peut-être de ce qui ne me regarde pas... J'ai beau ne t'avoir rencontrée que depuis peu, il me semble que nous nous sommes toujours connus. Je n'y puis rien... C'est plus fort que moi.

Il s'interrompit. Ils se turent encore et de nouveau le silence régna entre eux. Catherine le regarda à la dérobée : il paraissait désemparé et pourtant résolu. Souriante, elle dit :

— Et alors?

— Eh bien, voici ce que je pense. J'ai appris ces temps derniers à te bien connaître, et je me répète sans cesse que tu n'as pas eu de la vie tout ce que tu aurais pu en recevoir. Tu donnes, tu donnes constamment, mais jamais, bon sang, on ne te voit accepter ou prendre. Je suis si heureux avec Nancy que j'ai un immense désir de te voir heureuse aussi. Mais tu ne parviendras pas à m'ôter de l'idée que tu as quelque chose sur le cœur. Pardonne-moi si je dis des bêtises. Ce que je voulais dire, c'est... Pourquoi n'épouses-tu pas Charley et ne le laisses-tu pas prendre soin de toi pour toujours?

Elle tarda à répondre. Si quelqu'un d'autre lui avait tenu ce langage, elle aurait été vivement blessée; mais elle n'en voulait pas à Madden. Elle était à la fois surprise et agréablement émue. Certes, il était ridicule de la part de Madden de jouer ainsi au vieil oncle, mais son évidente sollicitude et l'affection qu'il semblait lui porter la touchaient profondément.

— Non, répliqua-t-elle enfin, il n'est pas question que le pauvre Charley se charge de moi.

— Pourquoi pas? Il est assez riche!

— Est-ce que ça compte?

— Je pense que ça compte.

Elle secoua la tête.

— Cela ne changerait rien. Vois-tu, je suis tout à fait démodée, incurablement romantique, et désespérément têtue. Si j'étais disposée à me marier, l'argent ne jouerait aucun rôle. Le malheur veut que je n'aime pas Charley.

De nouveau le silence régna. Cette explication ne semblait pas le satisfaire entièrement.

— Bon Dieu! dit-il lentement, et une ride profonde lui barrait le front. Alors il n'y a rien à faire?

— Rien, déclara-t-elle tranquillement.

Ils descendirent sur le pont-promenade, prêtant l'oreille aux rafales du vent dans les superstructures et au fracas des vagues contre le bordage. Lorsque le crépuscule fut venu et que le bateau fut constellé de lumières, elle le quitta et rentra dans sa cabine.

VIII

Le dîner se déroula rapidement et sans cérémonie, car le capitaine Ireland ne se montrait jamais le premier soir et aucun des habitués de la traversée n'avait songé à faire toilette. Mais à en juger par les voisins de table, le voyage promettait d'être agréable. Il y avait là Jay French, le célèbre journaliste cosmopolite, Edward Brett, un architecte de réputation internationale, et lady Brandwell qui entreprenait sa première tournée de conférences en Amérique.

Le lendemain, la vie de bord s'organisa dans son cadre restreint mais plaisant. Obéissant aux adjurations de M. Pym, la mer demeurait calme. Catherine reprit ses habitudes de passagère comme si elle n'avait jamais vécu autrement. Le matin, c'étaient les exercices de gymnastique, et ensuite le bain dans le beau bassin de marbre pompeusement dénommé la piscine olympique. Nancy, qui avait une tendance à la paresse, serait volontiers restée au lit si Catherine, à qui les voyages mettaient le diable au corps, ne l'avait pas obligée à jouer à la balle, à tirer sur la machine à ramer et à monter sur le cheval électrique. Après le lunch, on s'enveloppait dans des couvertures, on s'étendait sur des chaises longues, on lisait, on regardait défiler les nuages. A la demande de Catherine, on prenait souvent le thé sur le pont supérieur plutôt que d'aller s'enfermer dans le somptueux jardin d'hiver où l'orchestre faisait rage. Un cocktail avant le dîner et une représentation de cinéma complétaient ce programme quotidien.

La grande préoccupation de Catherine était que ce voyage

laissât un agréable souvenir à Nancy. Sa première traversée avait été pour elle un enchantement, elle en avait gardé une impression ineffaçable. Elle s'efforçait donc d'éveiller le même état d'esprit et la même ferveur chez Nancy; mais chaque jour elle devait se défendre contre un léger sentiment de désillusion. La jeune fille n'était pas facilement accessible à l'enthousiasme, et il n'était pas dans sa nature de se livrer sans réserve à l'admiration. Trop jeune pour être blasée, il lui était inconcevable qu'elle pût s'ennuyer; mais devant la vie, elle gardait une attitude froide et distante. Pour la première fois, Catherine commença à comprendre que, bien qu'elles eussent dix ans d'écart, elles étaient séparées dans leurs conceptions de l'existence par un véritable abîme, et qu'elles appartenaient à deux générations distinctes. Elle chercha alors à se rapprocher de sa nièce. Parfois, elle se demandait aussi si elle n'était peut-être pas plus souvent avec Nancy et Madden que ceux-ci ne l'eussent désiré. Elle s'appliqua à les laisser plus souvent seuls, mais elle était constamment amenée à rétablir la trinité de leur petit groupe, qui fréquemment devenait le centre de toute une compagnie. Nancy aimait en effet avoir beaucoup de monde autour d'elle.

Mais ne s'égarait-elle pas dans ses suppositions? A la surface, Nancy affichait tous les travers de la nouvelle génération; toutefois elle avait aussi sa vie intime. Son échec de Manchester lui avait laissé une blessure toujours ouverte et, secrètement, elle aspirait à prendre sa revanche de cette défaite par un succès étourdissant. Bien qu'elle n'en parlât pas, elle ne songeait qu'à la future tournée à New York, et elle pensait constamment à son rôle. Son habitude était de se retirer tout à fait inopinément, en général vers le soir, pour le travailler. Comme elle était très indépendante, personne ne se préoccupait de ces veillées solitaires; mais Nancy se prenait au sérieux.

Il arriva ainsi, un jeudi soir, qu'elle s'enferma à neuf heures dans sa cabine en laissant à Madden le soin de conduire Catherine au cinéma. C'était par une nuit sombre et orageuse. Les films, une grosse farce et quelques vues de voyages, étaient fastidieux. De plus, le navire roulait désagréablement; aussi la représentation n'avait rien de bien attrayant. Pourtant, Catherine avait rarement eu autant de plaisir. Assise dans l'obscurité, elle regardait distraitement les images courir sur l'écran. Elle éprouvait un grand bien-être à sentir la présence de Madden à son côté et le mouvant travail du bateau dans la mer pesante. Soudain, Madden se tourna vers elle, le visage éclairé par un sourire qu'elle connaissait bien.

— Il me semble que le temps se gâte, remarqua-t-il. Comment te sens-tu?

— Jamais je ne me suis trouvée aussi bien, répondit-elle d'un ton enjoué.

— Tu n'as pas envie de descendre?

— Si tu ne pars pas, non!

Elle suivait de nouveau les péripéties du film lorsqu'une pensée subite lui traversa l'esprit. Pourquoi donc trouvait-elle du plaisir à être assise là et à subir ce spectacle médiocre, avec tous les désagréments de la tempête? Avec un sursaut de contrariété, elle reconnut que ce plaisir provenait de ce que Madden était auprès d'elle; la dernière chose qu'elle eût désirée, c'est que cet étrange bien-être prît fin. Son sourire s'éteignit. Elle tenta vainement de réfléchir, mais elle n'en eut pas le temps. Brusquement, une effrayante clarté s'était faite en elle.

Madden avait étendu la main pour maintenir la chaise de sa voisine qui était entraînée avec les sièges voisins dans un vrai balancement d'escarpolette. Au même moment, le navire roula lourdement sur le flanc et jeta Catherine contre lui. Durant quelques secondes, tandis que le bateau se redressait, il l'étreignit solidement pour l'empêcher de tomber. Du coup, tout se brouilla devant les yeux de la jeune femme : le navire, la mer, le monde entier. Lorsque le bâtiment eut retrouvé son aplomb, Madden la réinstalla soigneusement à sa place.

— Quelle récompense recevrai-je? dit-il. La médaille du roi Albert pour les actes de sauvetage en pleine mer?

Elle ne répondit rien. Dût-il lui en coûter la vie, elle n'aurait pu proférer une syllabe. Pâle jusqu'aux lèvres, les membres paralysés, elle demeurait inerte, frappée par la terrible révélation qui s'était abattue sur elle comme la foudre. Elle aimait Madden; elle l'aimait de toute son âme. Tout devenait clair maintenant, d'une clarté implacable : la joie qu'elle éprouvait en sa compagnie, les vœux qu'elle faisait pour son bonheur, ce secret espoir aussi d'obtenir de lui un regard ou un sourire... Tout était devenu clair, clair et effrayant comme une scène qui se déroule dans l'obscurité et qu'illumine soudain la flamme éblouissante d'un éclair sournois. Un vertige mortel la saisit. Un instant, elle crut qu'elle allait s'évanouir. Mais, crispant les mains sur les bras de son siège, elle maîtrisa sa faiblesse. Elle demeurait là, sans faire un mouvement, toute secouée d'un grand tremblement intérieur, aveugle et frappée de stupeur.

Lentement, le film se termina. La lumière se ralluma, et ceux des spectateurs qui avaient tenu bon échangèrent de petits signes et des félicitations réciproques. Tête baissée, Catherine se dirigea vers la sortie, Madden la suivant. Il n'y avait pour ainsi dire personne sur le pont. Dans ce calme et ce silence, Catherine se sentit plus malheureuse encore. Elle ne pouvait pas regarder son compagnon. Elle savait que ses yeux trahiraient la nudité de son âme; et pourtant, elle avait le torturant devoir de cacher le combat qui se livrait en elle.

— Je crois que je vais descendre, dit-elle.

Comment elle était parvenue à retrouver sa voix naturelle, elle ne le sut pas elle-même.

— Déjà? Tu sais pourtant que Nancy nous a priés de la laisser seule. Faisons un petit tour sur le pont-promenade.

Il parlait tout à fait naturellement. Elle ne pouvait pas se rendre compte s'il devinait le terrible état où elle était tombée. Détournant les yeux, elle répéta :

— Non, je préfère descendre, il se fait tard.

— Qu'importe? Nous n'avons presque pas pris d'exercice aujourd'hui. Tu aimes tant à respirer la brise du large.

Avec un effort indicible, elle se força à le regarder. L'amicale sollicitude qu'elle lut dans ses yeux lui fit mal.

— Va seul, dit-elle. Ces films stupides m'ont fatiguée.

— Bon, si tu veux..., dit-il d'un air réticent. Alors, bonne nuit!

— Bonne nuit!

Ces mots, au moins, elle put les prononcer sans embarras, et elle contraignit ses lèvres à esquisser un furtif sourire. Elle se détourna, courut à l'escalier, abandonnant Chris sur le pont.

Arrivée à l'étage inférieur, elle s'arrêta et porta la main à sa gorge. Les battements de son cœur la paralysaient. Avant de retrouver sa nièce, elle avait besoin de se ressaisir, de rassembler ses esprits, de se composer une attitude. De penser à Nancy, sa peine s'accrut, et la situation lui apparut plus effrayante encore. Longeant le couloir en courant, elle se glissa par l'écoutille sur le pont avant. Dans l'obscurité, elle trébucha sur des cordages et des outils, mais n'y fit pas attention. Aucune douleur physique ne pouvait se comparer au tourment de son cœur. Enfin elle atteignit la proue du navire, et là, cramponnée au bordage, tout son corps fouetté par le vent, enveloppée par la nuit profonde et par le puissant tumulte des flots, son âme sombra dans un tel gouffre de souffrance qu'elle éclata en sanglots.

IX

Le lendemain matin, le vent était tombé. Le ciel était clair et la mer calme. Lorsque Nancy rejoignit Madden sur le pont, à dix heures, Catherine ne l'accompagnait pas.

— Tiens, lui cria-t-il, où est notre troisième associé?

— Associé honoraire pour ce matin, répondit-elle d'un ton réjoui. Elle a la migraine!

Il eut l'air étonné.

— Il n'y a pourtant pas bien longtemps qu'elle a déclaré n'avoir jamais mal à la tête pendant une traversée.

— Peut-être avait-elle oublié de toucher du bois, dit Nancy en riant. Mais remets-toi, chéri! Ta mignonne est fraîche et dispose.

— Pourquoi n'es-tu pas à la culture physique?

Elle fit la grimace. Son sérieux de la veille avait fait place à sa pétulance habituelle. Dans la fraîcheur de ce beau matin, elle se sentait revivre.

— Ne me gronde pas, chéri, interrompit-elle gaiement, pas avant notre mariage! Ne me tourmente pas, et donne-moi une cigarette.

— Comme tu ne fumes pas les miennes, je vais t'en chercher.

Ils descendirent par l'ascenseur dans le hall principal où il lui acheta une grosse boîte de sa marque préférée. La considérant, il dut s'avouer qu'elle n'avait jamais été plus ravissante. Svelte, garçonnière et vive, elle portait un manteau de poil de chameau qui plaquait sur son corps, et cette vision lui coupait le souffle. Elle avait rejeté ses cheveux en arrière et était en train de se mettre du rouge aux lèvres.

— M'aimes-tu, Nancy? demanda-t-il à mi-voix.

Elle s'arrêta dans son opération. Une vague de tendresse inattendue la submergea et tous ses airs évaporés l'abandonnèrent. Sa respiration s'embarrassa, et elle mesura, tout à coup, combien Madden lui était cher, tout ce qu'il représentait pour elle. Le regardant sérieusement à travers ses longs cils, elle répondit simplement :

— De tout mon cœur.

Ils se turent. Le visage de Madden s'illumina et il lui prit la main. Une seconde leurs doigts se frôlèrent, puis elle fit entendre un petit rire gêné. Elle avait retrouvé son équilibre.

— N'oublie pas que nous sommes au milieu de l'Atlantique, lui souffla-t-elle en passant son bras sous le sien.

Durant une minute, ils étudièrent les avis du bord et, au moment où ils allaient reprendre l'escalier, le regard de Madden tomba sur le magasin de fleurs. Une inspiration lui vint.

— En passant, nous pourrions envoyer un petit bouquet à Catherine? Ça lui fera plaisir.

— Bonne idée! Achète-lui des œillets, elle les aime. Et regarde ces orchidées violettes. Ne sont-elles pas merveilleuses? J'aimerais bien en avoir une.

Il rit, commanda les œillets pour Catherine, et Nancy eut son orchidée.

Catherine ne parut pas non plus au déjeuner, et ce n'est qu'à deux heures qu'ils se heurtèrent à elle, dans un coin écarté du pont supérieur. Elle avait l'air toute contente d'être là étendue sur sa chaise longue, bien enveloppée dans une couverture; et le plateau, à ses côtés, prouvait qu'elle avait tout au moins pris quelque chose.

— Hé! cria Nancy, comment va ta tête?

— Déjà beaucoup mieux.

Très confortablement installée, Catherine les accueillit en riant. Puis, se tournant vers Nancy, elle dit :

— Je pensais que vous vouliez jouer au ping-pong?

— Justement. Ce tournoi est un vrai supplice. Et tu connais l'impitoyable énergie de Chris.

Avec une légère hésitation, Madden l'interrompit.

— Nous nous sommes fait du souci pour toi, Catherine. Tu vas vraiment mieux?

— Tout à fait. Je me suis trop démenée ces derniers temps. Il faut que je dételle jusqu'à la fin du voyage.

Il n'était pas complètement rassuré.

— C'était si drôle de ne pas te voir à table. Et aux exercices, ce matin... Tu m'as beaucoup manqué.

— Je le regrette.

Il la fixa comme si l'indifférence de ses réponses le peinait. Nancy s'éloigna en chantonnant vers la table de ping-pong, mais lui ne paraissait pas disposé à abandonner Catherine.

— Tu as reçu nos œillets?

— Oui, Chris.

Elle s'arrêta.

— Mais, je t'en prie, ne m'envoie plus de fleurs... Vraiment, il ne faut pas.

Il parut plus chagriné encore. Il hésita, puis, cédant à une impulsion subite, dit :

— T'ai-je contrariée en quelque chose?

Elle le dévisagea longuement et détourna les yeux.

— Est-il absolument nécessaire que nous nous querellions cet après-midi? murmura-t-elle d'un ton amical. Naturellement, tu ne m'as rien fait. J'ai seulement besoin d'être un peu seule.

Il rougit, et une expression de souffrance passa sur ses traits. Puis il la regarda comme de coutume.

— Pardon, Catherine, répliqua-t-il calmement, j'oubliais que tu as mal à la tête. Excuse-moi de t'avoir dérangée.

Il la quitta et rejoignit Nancy.

Catherine se renversa dans son siège, son livre sur ses genoux, et parut absorbée par la contemplation de la mer et du ciel. Personne n'aurait pu deviner son tourment, ni l'intolérable et amer fardeau qui pesait sur son cœur. Il lui semblait qu'elle s'était plongé un couteau dans la poitrine.

La seule petite lueur de consolation qui lui restait, c'était le sentiment d'avoir commencé à mettre en pratique la résolution qu'elle avait prise durant cette nuit de cruelle insomnie. A n'importe quel prix, elle devait maintenir son intégrité personnelle; et elle aurait préféré mourir plutôt que de porter la plus légère atteinte au bonheur de Nancy.

Les deux journées suivantes passèrent très vite. On approchait rapidement de New York. La traversée avait été exceptionnellement favorable, et l'on espérait découvrir le bateau-phare de Nantucket le vendredi matin. Sentant venir la fin du voyage, les passagers manifestaient une sociabilité grandissante, mais Catherine, sous prétexte qu'elle avait besoin de repos, se tint sur une réserve aimable, bien qu'elle se vît quelquefois dans l'obligation de suivre le mouvement. En général elle réussit cependant à s'isoler. A plusieurs reprises, elle sentit se poser sur elle le regard furtif et inquiet de Madden, mais la souffrance de se retrouver seule avec lui lui fut épargnée jusqu'au soir du grand bal traditionnel.

Ce bal, avec son inévitable accompagnement de champagne, de confetti, de bonnets de papier et de niaiseries de carnaval, lui apparaissait comme la plus dure épreuve à laquelle sa résistance pût être soumise. Impossible d'y échapper. Au commencement, cela ne se passa pas trop mal, car, pendant le repas, elle put s'entretenir avec le capitaine et avec lady Blandwell, et simuler un profond intérêt pour les banalités nautiques de l'un et les prétentieux bavardages de l'autre. Mais, quand l'orchestre se mit à jouer, que les projecteurs lancèrent leurs clartés multicolores à travers les colonnades de la salle et que les passagers commencèrent à danser, ses nerfs se tendirent à se briser. Rester là assise, sourire, opposer à toute cette joyeuse agitation un visage aimable et insouciant, c'était plus qu'elle ne pouvait endurer. Par moments, elle craignait de se trahir; ce sentiment lui faisait perdre son assurance et pouvait l'inciter à commettre une faute.

Le vieux capitaine l'ayant invitée à danser, elle accepta étourdiment pour échapper à son inaction. Après lui avoir fait faire quelques tours dans la salle, il la ramena à sa place.

A cet instant, elle rencontra le regard de Madden. Jusque-là, il n'avait dansé qu'avec Nancy; mais il vint à elle pour l'inviter aussi.

Durant une seconde qui lui parut plus longue qu'une année, elle fixa la table, et le battement de ses artères lui donnait le vertige. Elle essaya de se dérober.

— Je danse mal.

— Tu danses très bien, je viens de m'en rendre compte.

Une cigarette entre ses doigts aux ongles laqués d'écarlate, Nancy se pencha vers eux. Elle portait une robe noire qui faisait ressortir l'éclat doré de ses cheveux blonds, et des souliers d'argent à hauts talons. Elle paraissait ainsi plus charmante que jamais, et d'une jeunesse invraisemblable. Avec un sourire d'encouragement, elle s'écria :

— Allons, Catherine, accorde-lui ce plaisir, pour moi!

Il n'y avait pas d'issue. Catherine se leva et fit quelques pas aux côtés de Madden; il l'entoura de son bras, et bien qu'il ne fût pas un as, il suivait bien le rythme de la musique.

— Pourquoi ne voulais-tu pas danser avec moi? demanda-t-il enfin d'une voix tout à fait naturelle et calme.

Maintenant que toute retraite lui était coupée par ces bras qui l'enserraient, elle sentait les battements de son cœur qui résonnaient dans ses tempes comme des coups de marteau. Se mordant les lèvres, elle fit appel à toute son énergie pour esquisser un pâle sourire.

— Je suis trop vieille...

— Quelle sottise! répliqua-t-il avec son rire tranquille. Il me semble plutôt que tu commences à peine à vivre.

— Oh! peut-être aussi que je pense trop à d'autres choses, au débarquement qui nous attend demain, à mes affaires, à mon avenir.

Ils se turent un moment. La musique les berçait de son rythme. Elle sentait le regard de Madden peser sur elle.

— Mes projets ne t'intéressent donc plus? demanda-t-il lentement.

— Mais si!

Elle cherchait à conserver à sa voix des inflexions superficielles.

— Tu resteras un peu à New York?

— Oui, j'avais formé le projet d'y passer quelques jours avec Nancy et toi, et de vous piloter dans la ville. J'espérais ensuite que vous viendriez avec moi à Vermont, pour faire la connaissance de ma mère et de quelques amis de Graysville.

Catherine eut une moue de regret.

— Je crains de ne pouvoir venir.

— J'ai pourtant rendu visite à ta mère, répliqua-t-il avec un sourire éloquent et persuasif.

Il y eut une pause. Elle avait compris.

— Bon, dit-elle toute désemparée, je tâcherai de m'arranger.

— Que c'est gentil! s'écria-t-il. Il faut que tu connaisses le paysage de Vermont. Je l'aimais tant, lorsque je passais là-bas mes vacances d'enfant; et c'est pourquoi, aujourd'hui, je l'aime encore.

Il y eut un nouvel arrêt, puis, soudain, d'une voix rapide mais toujours égale :

— Qu'y a-t-il donc entre nous, Catherine, qui ne joue plus? C'était si beau, puis tout a changé. Tu me fuis; les autres ne s'aperçoivent de rien, mais moi, je le vois. Tout ce que je puis te dire, Catherine, c'est ceci : tu es une merveilleuse créature! Ton amitié m'est d'un prix infini, non seulement parce que je serai le mari de Nancy, mais pour moi-même. Ne pouvons-nous vivre de nouveau en bonne harmonie?

Malgré tout l'empire qu'elle avait sur elle-même, Catherine fut traversée par un frisson de mortelle frayeur. Elle qui avait voulu, à tout prix, éviter Madden. Pour l'amour de Nancy! Brusquement, elle constatait que ce complet changement d'attitude était une flagrante maladresse. Elle ne savait plus à quel saint se vouer, et éprouvait un sentiment d'obscure consternation.

— Tu es complètement dans l'erreur, balbutia-t-elle. Je t'ai déjà dit que j'étais sens dessus dessous tous ces jours-ci... mais cela n'a rien à voir avec notre amitié.

— Veux-tu dire que tu n'as rien remarqué toi-même?

Elle secoua la tête.

— Ah! c'est ainsi? dit-il.

Il se tut, puis, avec un sourire presque embarrassé :

— Alors, c'est bien vrai qu'il n'y a rien à faire?

La musique s'arrêta et ils retournèrent à leur table. Quelqu'un avait rempli le verre de Catherine. Elle le vida d'un coup, et le champagne qui pétillait dans ses veines la stimula un peu. Lorsqu'elle jeta les yeux autour d'elle, Madden dansait de nouveau avec Nancy, et le médecin du bord s'approcha d'elle pour l'inviter. Ensuite, elle dansa avec M. Pym, qui ne manquait jamais de lui faire faire un tour de salle; puis, une fois encore, avec le capitaine. Enfin, elle profita du fait que quelques personnes prenaient congé pour s'excuser et se retirer dans sa cabine.

Lire lui était impossible, et il ne lui fallait pas songer à dormir. Elle se coucha et se mit à lutter interminablement avec les pensées qui l'assaillaient en foule. Elle se tournait d'un côté et de l'autre, et ce ne fut que vers le matin qu'elle sombra dans un profond sommeil. Lorsque la femme de chambre la réveilla, le navire entrait déjà au port, et, devant elle, défilait lentement le panorama de New York. Ce spectacle, et la perspective d'arriver enfin au terme de ce voyage, de reprendre pied sur la terre ferme et de pouvoir bientôt s'échapper, rendirent à Catherine un peu de son assurance. Vite habillée, elle monta sur le pont. Elle était surtout bien résolue à ne rien laisser voir, à ne pas céder, et à maintenir sa décision jusqu'au bout.

Sur le pont supérieur, elle aperçut Nancy et Madden. Ils contemplaient la silhouette durement découpée de la ville qui se dessinait haut dans le ciel, pareille à une Acropole moderne. Ayant retrouvé sa confiance en soi, elle pouvait afficher une contenance tranquille.

Après un salut vague qui s'adressait aussi bien à la jeune fille qu'à Madden, elle dit :

— N'est-ce pas admirable? Je suis heureuse que Nancy ait la chance de voir New York sous un aspect si favorable.

— Oui, répliqua Nancy, ça a l'air d'une ville magnifique.

Son visage reflétait un intérêt inaccoutumé.

— Voir l'Amérique pour la première fois, c'est un événement qui compte.

— On se prendrait pour Christophe Colomb! jeta légèrement Catherine.

— Exactement, répliqua Nancy, et, fermant à demi les yeux, elle ajouta : seulement, cette fois, c'est l'Amérique qui doit me découvrir!

M. Pym s'approcha, plus respectueux que jamais. Se tournant vers Catherine, il murmura mystérieusement :

— Les reporters sont à bord, miss Lorimer. Peut-être, comme il est d'usage, vous mettrez-vous quelques instants à leur disposition?

Catherine comprit l'intention amicale qui le poussait. Il voulait lui donner la possibilité d'exploiter dans un but commercial la nouvelle de son arrivée avec la miniature. Personne ne se rendait mieux compte de l'importance de la publicité que le silencieux M. Pym. Se retournant, elle aperçut le groupe des reporters qui s'approchaient lentement. Le col relevé et le feutre aux ailes rabattues, ils étaient, pour la plupart, des hommes jeunes à l'air entreprenant et débrouillard.

— *Morning*, miss Lorimer, fit celui qui marchait en tête, en touchant le bord de son chapeau.

Catherine reconnut Kelly, le représentant d'un des principaux journaux du soir.

— Me réjouis de vous revoir. Comment va? Jolie actualité, ce vieux petit tableau que vous rapportez de l'autre côté de l'eau?

Catherine approuva, et elle se préparait à dépeindre la miniature sous les couleurs les plus séduisantes lorsque ses regards tombèrent sur Nancy, qui observait la scène avec une vive curiosité. Un sentiment l'envahit, qui balaya du coup toutes ses préoccupations personnelles. Sans penser plus loin, elle déclara :

— J'ai ramené quelque chose de beaucoup plus intéressant. La petite miniature n'a pas tant d'importance ou, du moins, elle peut attendre. Mais je vous présente ma nièce Nancy Sherwood. Elle jouera dans la nouvelle tournée de

Bertram. Si vous voulez prendre sa photographie par avance, profitez de l'occasion, car, je vous le dis, elle fera parler d'elle!

Instantanément, neuf paires d'yeux se détournèrent de Catherine pour se braquer sur Nancy, et neuf bords de chapeau firent un petit saut en l'air. Il y eut un bref silence.

— Dites, miss Lorimer, énonça ensuite M. Kelly d'un air convaincu, il me paraît que vous n'avez pas tort. Qu'en pensez-vous, les gars?

Tandis que Catherine s'écartait, tous les obturateurs claquèrent, puis une grêle de questions s'abattit sur Nancy. Elle la subit sans sourciller, et répondit avec aisance tout en distribuant les sourires les plus enjôleurs.

Lorsque ce fut fini, elle s'écria, tout essoufflée :

— Je te remercie, Catherine! C'était exactement le nouveau départ que je souhaitais.

Appuyé au bordage, Madden avait suivi de loin l'incident. Il s'approcha, et, pour la première fois de la matinée, il adressa la parole à Catherine :

— Nancy m'a promis de déjeuner avec moi au Waldorf. Ne serais-tu pas contente de nous accompagner?

Catherine esquissa un geste de regret.

— J'ai affaire, dit-elle en le remerciant d'un sourire volontairement impersonnel, et les premiers temps, je serai très prise.

— Mais tu n'oublies pourtant pas Vermont?

— Non certes, répliqua-t-elle, je n'oublie pas.

Ils quittèrent ensemble le pont, et lorsque Catherine eut pris congé de toutes ses connaissances, les formalités de police furent rapidement réglées. Soit intentionnellement, soit par hasard, elle perdit de vue Nancy et Madden. Une fois dans la rue, elle héla un taxi et se rendit seule à son hôtel.

X

Elle se rua tête baissée dans son travail, car elle y voyait l'unique remède à la douleur atroce qui lui déchirait le cœur et ne lui laissait plus aucune trève. Dès qu'elle fut arrivée au *Tower Carlton*, où elle avait l'habitude de descendre, elle téléphona à Breuget, son représentant à New York. S'il n'était pas venu la saluer au quai, c'est qu'elle en avait décidé ainsi, mais il attendait son appel et accourut aussitôt. A peine eut-elle le temps de s'installer dans la petite chambre verte et or qui l'avait si souvent accueillie, de jeter un regard par la fenêtre qui dominait de la hauteur de trente étages le gigantesque défilé de la Cinquième Avenue, de saluer le directeur de l'hôtel, M. Lenz, qui la combla de fleurs, de fruits et de protestations de joie, et lui confirma qu'une seconde chambre à coucher, attenante à la sienne, était réservée à miss Sherwood. Déjà Breuget se précipitait les mains tendues, sa barbiche pointue à la française frémissant de plaisir.

Georges Breuget, un Parisien, était de par sa profession un spécialiste en objets d'art et en montres du XVIIIe siècle. Venu à New York pour y tenter sa chance, il avait fait faillite et il serait littéralement mort de faim si Catherine ne l'avait repêché.

Lui baisant la main, il lui servit un choix varié de compliments, tous plus galants les uns que les autres, s'installa dans un fauteuil, appuya contre ses lèvres la pomme de sa célèbre canne, comme s'il voulait lui-même mettre un terme à son intarissable éloquence, puis attendit les questions et les ordres de Catherine.

— Oui, Breuget, dit-elle en se renversant en arrière et en le regardant dans les yeux, j'ai donc apporté la miniature.

— Parfait, miss Lorimer.

— Avez-vous pris contact avec Brandt, ainsi que je vous l'avais demandé?

— Tout est en bonne voie. Brandt est attendu à New York dans dix jours — Breuget roulait les " r " avec une naïve suffisance. Mercredi à trois heures, il viendra à mon bureau pour voir la miniature. Et... pour l'acheter, miss Lorimer, vous verrez. C'est comme je vous le dis. Remettez-vous-en à moi.

Catherine serra les lèvres.

— Puissiez-vous avoir raison! En tout cas, vous avez bien manœuvré. Entre-temps, je vais exposer la miniature. Tout New York doit l'admirer, habilement mise en valeur dans un entourage de velours rouge. Il faut aussi que les marchands la voient; tous, Ascher et les autres. Il faut qu'on en parle beaucoup; ça nous aidera. Je n'ai aucune envie que l'ami Brandt croie pouvoir nous imposer son prix. Le prix, c'est nous qui le faisons. N'est-ce pas, Breuget?

— Naturellement, miss Lorimer. Évidemment, les circonstances actuelles sont défavorables.

— Défavorables! Elles sont franchement mauvaises. Mais écoutez, mon vieil ami, je vais vous porter un rude coup. Si nous n'arrivons pas à vendre cette miniature cent mille dollars bien sonnants, nous n'aurons tous deux qu'à nous chercher une autre situation.

Avec optimisme, Breuget haussa les épaules comme pour la rassurer.

— Nous y arriverons, miss Lorimer, et ensuite nous remonterons la pente. J'ai la conviction que les affaires vont reprendre. Si nous passons ces prochaines semaines, nous sommes sauvés.

Catherine approuva, et son regard se perdit soudain dans le vague.

— Oui, murmura-t-elle, encore ces prochaines semaines, et puis tout ira mieux.

Elle fit un effort pour rassembler ses esprits et, se levant, elle mit son chapeau.

— En route; allons exposer le Holbein. Mais regardez-le d'abord.

Breuget prit la miniature et l'étudia d'un air d'extase déférente.

— Merveilleux, merveilleux! s'écria-t-il enfin.

Debout à ses côtés, Catherine contemplait également le portrait, avec des yeux neufs; et elle se sentait envahie par un sentiment de pitié qu'elle n'avait pas encore éprouvé. Ce visage, maintenant, lui paraissait vivant. Elle y lisait ses propres angoisses et ses propres désirs. Dans ces traits dont on lui disait qu'ils avaient une ressemblance avec les siens, elle discernait une tristesse toute proche de la sienne, un destin de solitude et de mélancolie pareil à celui dont elle était elle-même menacée. Il lui semblait que son âme lui échappait mystérieusement, pour aller se fondre avec celle de Lucie de Quercy. Elle éprouvait au fond de son cœur une impression étrange, l'impression de revenir en arrière, dans l'espace et dans le temps; et, au milieu du tumulte de la vie moderne, il lui semblait percevoir le lointain écho d'époques révolues.

— C'est très curieux, miss Lorimer, ce portrait vous ressemble de façon étonnante...

Catherine eut un geste de vive dénégation, sous lequel elle tenta de cacher l'effet que ces paroles lui causaient. D'une voix légèrement rauque, elle répondit :

— Le prochain qui me dit ça, je lui jette une chaise à la tête.

Puis, faisant demi-tour, elle marcha droit à la porte.

Ils descendirent l'avenue jusqu'à son bureau, un petit magasin coincé entre un atelier de haute couture et une élégante boutique de fleuriste. En chemin, et comme il était déjà plus d'une heure, Catherine persuada le vieux Breuget de déjeuner avec elle. Ils se rendirent dans un bar où ils se firent servir des sandwiches avec du café et des *cakes*. Arrivée au bureau, elle prit plaisir à disposer la miniature dans la petite vitrine encadrée de bronze, sur un fond de velours de Gênes, couleur lie de vin; et, en procédant à ce petit travail de décoration, elle se dit que c'était là toute la raison d'être de son existence.

Les franches félicitations d'Ascher, qui ne tarda pas à passer, la réjouirent fort. De tous les marchands de New York, c'était certainement le plus compétent, et elle remarqua qu'il approuvait tout à fait son achat. Mais, plus tard, lorsqu'elle reprit seule le chemin de l'hôtel, elle se sentit de nouveau déprimée et très lasse.

A l'hôtel, Nancy avait pris possession de sa chambre à sa manière habituelle, c'est-à-dire qu'elle avait éparpillé ses affaires dans tous les coins et qu'elle s'était étendue sur le divan, avec, auprès d'elle, la lampe allumée et le thé préparé. Ce spectacle familier rendit à Catherine un peu de sa bonne humeur. Elle retira ses souliers, enfila ses pantoufles et, en un clin d'œil, elle eut échangé son costume contre une robe de chambre confortable et moelleuse, d'un gris tourterelle. Puis elle s'assit près de Nancy et versa le thé. Avec un sourire, elle découvrit que sa nièce avait dédaigné celui de l'hôtel, et s'était servie dans sa propre provision qu'elle avait apportée de Londres.

— As-tu passé une bonne soirée? demanda-t-elle gaiement.

— Un véritable enchantement, chérie, répondit Nancy, abandonnant son rôle et fixant Catherine de ses grands yeux brillants. Un dîner magnifique avec des huîtres exquises — Chris les appelle, je crois, des *bluepoints* — et un jeune faisan vraiment divin. Puis j'ai traîné Chris au théâtre. Une pure merveille! Nous pourrons commencer nos répétitions à l'Impérial jeudi. Ah! Catherine, que j'aime New York. Je te parie un chapeau neuf qu'il répondra à mon amour!

Elle croqua le dernier macaron qu'elle avait laissé.

— Tu n'as pas encore vu les journaux, chérie? Ils sont là sur le parquet. Dans l'ensemble, très bien. Une demi-colonne de texte et quatre photos excellentes.

Catherine ramassa les journaux et les parcourut avec attention.

— Oui, c'est très bien. Pour tes débuts en Amérique, tu as mis dans le mille.

Nancy riait et s'étirait comme un petit chat qu'on caresse.

— Et tout le monde est si gentil pour moi! Chris est incomparable. Tu ne peux pas savoir combien je tiens à lui. Pense donc, il veut absolument que nous nous mariions aussitôt après la première représentation; et je crois que c'est fort bien ainsi. Ce serait un vrai conte de fées, si dès le premier contact avec le public je tenais déjà mon succès — car je sens, chérie, que ce sera un grand succès — et par là-dessus, des épousailles de style tout à fait romantique!

Elle s'interrompit.

— Tu aimes bien Chris, n'est-ce pas, chérie?

— Tu le sais bien.

— Il t'aime bien aussi, poursuivit Nancy, et il te tient en haute estime. Il me parlait encore de toi tout à l'heure. Il aurait grand plaisir à ce que tu viennes déjeuner avec nous au Waldorf, demain ou l'un de ces jours.

Catherine la regarda avec surprise.

— Tu ne veux pas dire qu'il habite au Waldorf?

— Mais si, chérie. Pourquoi pas? Je sais bien qu'il préférerait une auberge, mais je tiens à l'élégance et je l'ai convaincu.

— Mais le Waldorf est terriblement cher! dit Catherine avec un sursaut. Es-tu vraiment sûre qu'il peut s'offrir tout ça, ces déplacements, ces fleurs, ces cadeaux et les hôtels les plus luxueux? Si ce n'est pas le cas, ce n'est pas bien de ta part de l'y pousser.

— Il n'a pas fait d'objection, rétorqua Nancy en haussant les épaules.

— Tu ne t'imagines pas pourtant qu'il protesterait! Il n'est pas homme à le faire. Je déteste parler de ces choses, Nancy, mais c'est un chapitre sur lequel il nous faut être franches l'une avec l'autre!

Nancy fit son sourire le plus séducteur.

— Ne t'inquiète pas, chérie. Tout est en ordre avec

Chris. A Cleveland, il passe pour un gros personnage. C'est mon petit doigt qui me l'a dit. Ne me regarde pas d'un air sévère! Je n'ai pas envie de me disputer pour ces histoires. Je me suis déjà emportée avec Chris cet après-midi, à propos du voyage à Vermont.

Elles se turent. Visiblement, Nancy passait par l'un de ces moments de totale insouciance, où il n'y avait rien à obtenir d'elle.

— Tu penses, demanda Catherine, pour rompre le silence, que Chris aimerait te présenter à sa mère?

— Oui, soupira Nancy avec résignation. Et à tous les oncles, et à tous les cousins à la mode de Bretagne! Et, je suppose, à tous les habitants du village. Il voudrait que nous y allions jeudi pour deux ou trois jours. Juste quand j'aurai à faire par-dessus la tête avec les répétitions. Tu te rends compte? En plein hiver, je planterais là New York pour un trou perdu en pleine campagne!

— Il y a des gens qui aiment la campagne.

— Grand bien leur fasse!

— Il faut que tu y ailles, dit Catherine d'une voix grave. C'est ton devoir.

— Alors viens avec moi, répondit Nancy d'un ton boudeur.

— Soit, répliqua Catherine. C'est entendu, n'en parlons plus. Tourne le bouton de la radio et donne-nous un peu de musique.

XI

Le vendredi matin, Catherine prit à huit heures trente le rapide qui devait l'amener à Graysville. Elle était seule, Nancy et Madden étant partis la veille. Bien installée dans un bon fauteuil du *pullman* où régnait une agréable chaleur, elle essuya la vitre avec ses gants pour voir défiler le paysage hivernal, figé par le gel. A une allure toujours plus rapide et dans un fracas croissant, le train fonçait à travers la campagne couverte de neige vers les étendues infinies. La journée s'écoula. Vers le soir, Catherine dut changer de train et prendre une petite ligne régionale; puis elle repartit dans la direction du couchant. Le soleil d'un rouge ardent répandait sur la terre rude et nue toutes les splendeurs du ciel. Une demi-heure plus tard, le contrôleur passa dans le wagon.

— Dans quelques minutes, Graysville, madame, dit-il poliment.

Catherine était légèrement émue : le sentiment d'arriver enfin au terme du voyage, sentiment auquel se mêlait de l'impatience, de la curiosité et une sorte de crainte. La locomotive siffla, les freins grincèrent, et le train s'arrêta. Elle fut la seule à descendre sur le quai étroit. Sa valise à ses pieds, les joues rougies par le vent et le cœur serré par l'attente, elle contempla la gare déserte.

Soudain, une silhouette surgit de la pénombre et s'approcha lentement. C'était un vieil homme maigre. Il avait les jambes arquées et portait une veste de cuir avec un capuchon, sous lequel son visage tanné esquissait un vague sourire de bienvenue.

— C'est bien vous miss Lorimer? demanda-t-il tandis que s'épanouissait son sourire... Je m'appelle Hickey.

Il prit sa valise.

— Venez. L'auto est dehors, sur la place.

Elle le suivit jusqu'à la voiture, un coupé antédiluvien, haut sur roues, mais si bien astiqué que la carrosserie verte scintillait comme un lustre et que les pièces métalliques semblaient de cristal. Les pneus même étaient soigneusement lavés. Tout fier de sa machine, Hickey aida Catherine à y monter, rappela à la vie les pistons usés, et se mit en route avec une sage lenteur. Ils descendirent la rue principale à une allure cahotante. Les passants étaient rares, mais à chacun Hickey adressait un petit signe de la main, ou un salut impersonnel.

— Pas grand monde, remarqua-t-il d'un ton affable à l'intention de Catherine. Ils sont tous en train de patiner. Il fait justement le temps convenable, et ils sont enragés. Monsieur Chris vous fait dire que vous les trouverez tous en bas, sous le hangar.

— Avez-vous une bonne patinoire? demanda-t-elle.

— Merveilleuse! A trente milles à la ronde, le lac est gelé.

Il arrêta sa voiture. Deux jeunes gens qui portaient leurs patins l'avaient salué en riant, et, d'un geste magnifique, il les invita à monter. C'était une jeune fille et son frère, des parents éloignés de Madden, ainsi que Hickey le notifia confidentiellement à Catherine en se remettant en route. Il était d'une loquacité intarissable. Conscient de ses privilèges de vieux serviteur qui sait par surcroît qu'il est considéré par tout le monde comme un phénomène unique en son genre, il continuait à bavarder, cependant que Catherine admirait la belle nature hivernale. A la sortie de la bourgade, la route descendait vers le lac et serpentait le long de la rive gelée, que parsemaient des bouquets de saules et de genévriers. De lointaines collines se profilaient dans le crépuscule. La patinoire était déjà visible de loin et, à l'orient, s'élevait le disque pâle de la lune.

Le mystère de l'heure et le charme du paysage agissaient sur Catherine en éveillant dans son cœur de troublants échos. Elle demeura immobile tandis que le vieux Hickey déposait ses deux passagers occasionnels près d'un petit embarcadère privé, en leur adressant toute sorte de conseils et d'admonestations, et en leur recommandant surtout de ne pas arriver en retard pour dîner. Puis il remit son véhicule en branle, et le dirigea vers une maisonnette blanche qui se dressait au tournant du chemin, au milieu d'un petit verger aux pommiers rabougris. C'était un bâtiment simple et sans prétention, de style colonial, avec une façade Empire sans aucun ornement. Un instant plus tard, la voiture s'affalait devant la porte, qui s'ouvrit aussitôt. Mrs. Madden était là, elle tendait la main à Catherine.

Catherine identifia tout de suite la mère de Chris. Grande et maigre, elle ressemblait à son fils de façon frappante. Son visage était empreint de la même expression tranquille que celui de Madden. Il s'en dégageait la même certitude et la même fermeté, révélant la discipline intérieure de toute une vie faite de patience, de constance et de bonté. Fixant Catherine d'un regard étrangement profond, où se lisait une chaude et cordiale bienvenue, elle dit après les premières salutations :

— Vous devez être gelée. Entrez vite et venez vous chauffer.

Elle lui fit monter l'escalier et l'introduisit dans une chambre. Un bon feu flambait dans une cheminée hollandaise en fer, et projetait ses reflets sur le ciel de lit et ses beaux rideaux, sur le lourd bahut sculpté et les chaises massives.

— J'espère que vous serez bien ici, dit Mrs. Madden avec une gêne soudaine qui alla droit au cœur de Catherine. C'est très modeste, car nous sommes des gens simples.

— Mais c'est ravissant, tout à fait ravissant! s'écria Catherine.

Mrs. Madden eut un sourire tranquille et réservé qui illumina son visage grave. Elle sembla chercher ses mots pour exprimer sa satisfaction; mais sans doute avait-elle de la peine à traduire ses sentiments en paroles. Elle demeura encore un instant sur le seuil, s'assura que Catherine ne manquait de rien, annonça que le dîner allait être servi, et se retira.

Une demi-heure plus tard, Catherine descendait au salon, une longue pièce brillamment éclairée donnant sur le hall, et où se pressait en ce moment une foule inattendue. Les patineurs étaient rentrés, et avaient amené avec eux de nombreux amis et voisins. Catherine eut ainsi une première vision de la très large hospitalité que l'on pratiquait à la maison de Lakeside.

Madden et Nancy se tenaient devant la cheminée, avec le frère et la sœur aux visages rieurs qui avaient fait route dans la voiture, et qu'on présentait maintenant à Catherine sous les noms de Luke et de Betty Lou. Non loin d'eux était assis, tout raide dans son fauteuil à bascule, un vieil homme au visage ridé et spirituel, l'oncle Ben Emmet, le frère de Mrs. Madden. En face, avaient pris place le maître d'école de Graysville et sa sœur. Puis venaient Doc Edwards, petit et râblé dans un épais manteau de pilote, et Pop Walters, gras et chauve, aux yeux clignotants et pleins de malice. Il y avait aussi Sammy Bennet, petit-fils de Ben, dont le nez était tout piqué de taches de rousseur, et qui, ainsi que Luke, portait sur la poitrine un insigne de club. Enfin, à l'arrière-plan, une vingtaine de jeunes hommes et de jeunes filles en chandails clairs, les joues brûlées par le vent et le regard brillant, qui bavardaient et riaient.

Il fallut un moment à Catherine pour faire le tour de toute cette société. Grâce à Mrs. Madden, qui prenait son rôle très à cœur, elle lia connaissance avec chacun. C'étaient des gens simples, sans rien de frappant; on se rendait compte qu'ils travaillaient durement pour gagner leur vie, mais tous manifestaient une cordialité spontanée et sincère qui impressionna Catherine au plus haut degré. Tout de suite, elle se sentit à l'aise au milieu d'eux.

Elle n'eut guère l'occasion de s'entretenir avec Nancy et

Madden, car Mrs. Madden lui prit le bras, et toute la compagnie passa dans la salle à manger voisine.

Après ce long voyage et cette douche d'air froid, Catherine avait grand-faim et mangea de très bon appétit. Au milieu d'une assistance aussi nombreuse, personne ne prenait garde à elle. Madden, qui arborait un chandail gris de polo, était assis au bout de la table, et constamment occupé à passer les plats. Nancy montrait un visage presque renfrogné. La cigarette dans une main et la fourchette dans l'autre, elle fumait en mangeant sans prêter attention au bavardage de Sammy Emmet, placé à sa droite. Étonnée, Catherine fronça involontairement les sourcils. Mais ses deux voisins, Walters et le petit Doc Edwards, ne lui laissèrent pas le temps de réfléchir.

— Goûtez donc ce vin de sureau, miss Lorimer, lui disait Doc Edwards avec sérieux. Il a été pressé par Suzan Madden elle-même. Rien de tel pour chasser le froid.

Catherine dégusta le vin admirablement épicé et le trouva excellent. Elle se tourna en riant vers le petit homme :

— Vous devriez en emporter dans vos tournées de malades. Ça doit être pénible, en cette saison, d'être toujours sur la route.

Il la regarda sans comprendre, puis partit d'un bon éclat de rire.

— Vous vous trompez, dit-il enfin, les gens m'appellent " Doc ", mais je ne suis pas docteur en médecine. Je tiens simplement la petite pharmacie à l'angle de la rue principale, à côté de l'église baptiste.

Catherine rougit, car ce petit malentendu la mettait mal à l'aise; mais il continua tranquillement et avec la même amabilité modeste :

— Nous autres, nous ne nous donnons pas de grands airs, miss Lorimer. Voyez Chris Madden, il a fait une très belle carrière, mais il n'a jamais oublié le vieux Joe Edwards qui l'emmenait à la pêche alors qu'il n'était encore qu'un galopin de sept ans.

— Vraiment? demanda Catherine intéressée.

— Oui. Chaque fois que Chris venait en visite ici, chez son

oncle Ben. Et je crains que Suzan n'ait été édifiée par ses dépenses de chemin de fer. Mais nous ne nous en souciions guère. Nous tirions des bordées sur les lacs, et tonnerre! vous auriez dû voir le gamin lorsqu'il a pêché pour la première fois une grosse carpe!

Catherine se représenta immédiatement la petite scène, le bateau baigné de soleil et balançant sous la brise, la canne à pêche pliant sous le poids, le poisson aux écailles d'argent tombant avec un bruit sourd sur le plancher, le visage enfantin, excité et pourtant curieusement attentif de Chris. Elle mesura du coup la solidité des liens qui attachaient Chris au lieu de naissance de sa mère, et comprit pourquoi il était si connu, estimé et aimé. Il était maintenant " arrivé ", il avait de grands succès; et pourtant il était toujours le petit garçon de Suzan Emmet, à Graysville.

A la fin du repas, on retourna au salon. A une table s'assirent les joueurs de bridge, et à une autre s'organisa une partie d' " Animal Crackers ", un jeu follement animé. Quant à Catherine, le jeune Sammy Emmet la pria de lui faire griller des noix sur le feu.

Assise au coin de la cheminée, elle subissait l'insouciante gaieté de son entourage. A la table ronde que présidait Madden, le vacarme allait croissant. Une ou deux fois, il sembla à Catherine que le ton de Chris trahissait une bonne humeur affectée. Mais la chaleur du feu la plongea peu à peu dans une bienfaisante somnolence. Une demi-heure plus tard, elle prit discrètement congé de Mrs. Madden et se faufila dans sa chambre.

Il n'y avait pas bien longtemps qu'elle s'y trouvait lorsque Nancy entra, l'inévitable cigarette aux lèvres.

— Contente d'avoir pu t'échapper? demanda-t-elle.

— Pourquoi " échapper "? rétorqua Catherine surprise.

Nancy ne répondit pas, mais haussa nerveusement les épaules.

— Comment, Nancy, s'écria Catherine, tu ne te trouves pas bien ici?

Nancy fronça les sourcils.

— C'est très joli, chérie... peut-être un peu comique.

— Comique? répéta Catherine interloquée.

Nancy fit signe que oui. Elle voyait que Catherine ne la comprenait pas et devenait agressive.

— Il y a trop de petits tapis partout, trop de parents pauvres qui font du bruit en mangeant, et rient de tout et de rien. Et ces coqs de village qui pouffent dans les coins! Et tous ces versets bibliques aux murs, comme ici, au-dessus des lits!

Catherine suivit des yeux le regard de Nancy.

— Ce n'est pas un verset biblique, répliqua-t-elle sèchement, mais un modèle de broderie, et c'est très joliment travaillé.

— Je veux bien, poursuivit Nancy avec une nervosité croissante, mais en tout cas, ma situation ici n'a rien de drôle. Une semaine encore, et je deviendrais folle. Je sens qu'on me regarde de travers parce que je suis actrice. Chaque fois que j'allume une cigarette, on me dévisage comme si j'avais commis un péché contre le Saint-Esprit. Il n'y a même pas un misérable cinéma dans ce coin perdu. Pourquoi Chris ne pouvait-il pas nous présenter son ennuyeuse parenté à Cleveland, au lieu de nous lancer ainsi à ses trousses! Le ciel soit loué, nous rentrons à New York après-demain.

— Mais Nancy...

— Ah! Catherine, je te demande pardon...

Déjà Nancy regrettait ses paroles. Sa bouche tremblait et ses yeux exprimèrent une contrition sincère.

— Je sais que je suis insupportable. Je n'aurais dû venir ici qu'après la première. Ça me fait de la peine pour Chris; mais je suis hors de mes gonds. C'est que j'ai de tout autres préoccupations en tête.

— Et quoi donc?

— Mais ma pièce, évidemment! Ne comprends-tu pas ce que le métier représente pour moi? Oui, j'ai Chris et je suis follement heureuse avec lui. Mais il y a aussi l'autre chose... J'ai besoin de succès, Catherine, de l'ivresse du succès!

Émue par la véhémence de ces propos, Catherine demeura silencieuse. Pour la première fois, elle mesurait la violence de la passion que Nancy portait au théâtre. Des doutes sérieux l'assaillaient. Nancy aspirait à la gloire, soit, mais avait-elle ce qu'il faut pour la conquérir? La beauté, l'intelligence et le talent ne lui faisaient certes pas défaut; mais possédait-elle cette qualité insaisissable, sans laquelle il n'y a pas de grande artiste, la profondeur et la solidité du caractère? Soudain, Catherine fut prise d'angoisse. Elle avait peur pour Nancy.

— Ne penses-tu pas que tu demandes un peu beaucoup à la vie? demanda-t-elle d'une voix sourde.

— Peut-être, répondit Nancy, mais cela m'est nécessaire.

Elle s'approcha de Catherine, lui donna un baiser, et en un clin d'œil, disparut de la chambre.

Immobile, les lèvres serrées, Catherine demeura un moment devant la fenêtre. Une beauté sereine revêtait le paysage, et elle se sentait gagnée par la paix qui régnait dans cette petite communauté de gens sains et tranquilles. Elle aurait voulu rejoindre Nancy, parler avec elle, la consoler et la calmer. Si elle ne le fit pas, c'est qu'elle savait que cela ne servirait de rien. Elle-même se sentait embarrassée et intimidée, et avec un soupir, elle se mit au lit.

XII

A son réveil, le soleil inondait la chambre et, dans la maison et au-dehors, la vie avait déjà repris son cours. Cette rumeur d'activité la stimula. Sautant de son lit, elle enfila en hâte sa chaude robe de laine, et descendit à la salle à manger où Mrs. Madden, Chris, l'oncle Ben et le jeune Sammy allaient justement se mettre à table.

— Mais comment! s'écria Mrs. Madden dont le visage rayonna de plaisir. Nous n'avions pas imaginé que vous descendriez pour le petit déjeuner! Nancy s'est fait servir au lit.

Catherine se mit à rire.

— Par une matinée pareille, il faut se lever, surtout quand on a la perspective d'aller patiner.

— Bien parlé, déclara Sammy en prenant une crêpe chaude sur le plat. Ainsi, vous venez?

Catherine s'assit. Mrs. Madden lui versa du café et Madden lui passa le lard grillé. Les crêpes qui, au dire de Sammy, étaient une spécialité de Mrs. Hickey, se révélèrent croustillantes et légères. Catherine était ravie. Comme le soir précédent, elle se laissait aller à cette atmosphère de gaieté naturelle et bienveillante, qui lui réchauffait le cœur. Elle se rendait compte que la mère de Chris était enchantée, et cela tout simplement parce qu'elle avait paru au premier repas de la journée.

Aussitôt après, tous descendirent vers le lac. Nancy n'avait pas encore donné signe de vie, mais Sammy, qui avait adopté Catherine, ne souffrit aucun retard. Lui ayant déniché sous le hangar une jolie paire de patins, il la conduisit vers la rive. Madden l'accompagna aussi.

La matinée était merveilleuse. Catherine marchait entre Madden et Sammy sur la route gelée et elle aurait voulu que cette promenade durât toujours. Tous les passants connaissaient Chris et le saluaient avec une cordiale déférence. Après ce qu'elle avait observé et appris la veille, elle avait maintenant la claire vision de son caractère, et le jugeait à sa juste valeur. Elle admirait cet équilibre de bonté et de force, qui expliquait son attachement aux traditions familiales ainsi que sa fidélité aux vieilles amitiés.

A l'embarcadère, Sammy s'agenouilla avec un chevaleresque empressement, et lui fixa ses patins. Puis tous deux s'élancèrent; avec une allure d'oiseaux, ils glissaient sur la surface gelée. Madden, qui était resté sur la rive, les suivit des yeux jusqu'à ce qu'ils eussent disparu au tournant du golfe. Son visage avait pris une expression étrange. Il aimait le patinage, bien qu'il n'eût pas eu beaucoup d'occasions de le pratiquer au cours de ces dernières années. Il aurait bien voulu les suivre... Peut-être était-ce la raison pour laquelle il avait l'air si abattu, tandis qu'il retournait lentement à la maison pour y attendre Nancy.

Il était presque une heure et demie lorsque Catherine et Sammy rentrèrent à leur tour. Le déjeuner était sans doute fini depuis longtemps, car la table était desservie et la maison vide. Mais Mrs. Madden répondit à leurs excuses par un geste plein de compréhension.

— Ne vous faites pas de tracas, dit-elle avec un bon rire, je vous ai gardé votre repas au chaud.

Au bout de cinq minutes, tout était prêt, et elle s'assit à table avec eux, satisfaite de les voir manger de si bon appétit.

— Retournerez-vous patiner cet après-midi? demanda-t-elle enfin.

Catherine secoua la tête.

— Je ne sens plus mes chevilles. Puis, Chris a parlé d'une promenade pour ce soir, tous ensemble. On allumera un feu sur l'une des îles, et je voudrais en être.

La vieille dame hésita.

— N'auriez-vous pas envie de prendre le thé avec moi? J'ai habituellement de l'eau chaude dans la bouilloire vers trois heures.

Une confortable tranquillité régnait au salon. La pendule faisait dans un coin son tic-tac solennel et le chandelier, sur la commode de noyer, reflétait les flammes du foyer. Sammy s'était rendu à la grange avec Hickey pour voir une portée de petits chiens. Mrs. Madden servit le thé, puis se tut un long moment. Enfin, après avoir toussé légèrement, elle se mit à parler en détournant les yeux.

— Je suis heureuse que vous soyez venue, Catherine. Maintenant que je commence à prendre de l'âge, je ne tiens pas beaucoup à faire de nouvelles connaissances. Mais quand j'en fais, ça prend pour moi une grande signification.

Catherine ne répondit rien. Elle se sentait émue et doucement touchée. Étendant le bras vers la table, Mrs. Madden prit un gros album de photographies relié en peluche. Majestueux et un peu ridicule, c'était un de ces vieux albums de famille, souvenir de jours depuis longtemps révolus, et dont Catherine se dit involontairement qu'il aurait provoqué les railleries de Nancy. Mais il n'y avait rien dans la voix de Mrs. Madden qui pût prêter à sourire, lorsqu'elle ajouta :

— Voici un vieux portrait de Chris. Je le trouve très bon.

Catherine prit l'album ouvert qu'elle lui tendait et ses yeux tombèrent sur la photographie toute pâlie d'un garçonnet de six à sept ans, en culotte courte, coiffé d'un vieux chapeau de paille rejeté en arrière. Oui, c'était bien Chris. Catherine aurait reconnu à tous les âges de la vie ces yeux sombres, qui la fixaient à travers ce visage d'enfant d'un air de sérieuse interrogation. Sa gorge se serra de tendresse; avec un grand effort, elle retint les larmes folles qui se pressaient sous ses paupières baissées.

— Une ravissante petite photo, dit-elle. Il faut que vous la montriez à Nancy.

— Elle l'a déjà vue, répondit lentement la mère de Chris.

Catherine leva les yeux vers elle et les détourna tout aussi vite. Elle avait surpris dans le regard de l'autre femme une expression soucieuse qui lui donna un coup au cœur.

— C'est bête de ma part de parler ainsi, poursuivit Mrs. Madden plus lentement encore, mais je voudrais tant que Chris soit heureux.

— Il le sera, répliqua Catherine.

— Nancy est une charmante fille, reprit Mrs. Madden d'une voix embarrassée, mais j'ai de la peine à me faire à l'idée qu'elle est actrice. C'est vrai que je suis très démodée...

— Tout s'arrangera très bien, interrompit Catherine avec chaleur.

— Nous avons précisément parlé de cela hier soir, reprit gravement Mrs. Madden, tout à fait par hasard, pendant que vous étiez dehors. Nancy paraît bien résolue à ne pas abandonner le théâtre, même après son mariage avec Chris. Elle nous a tenu à ce propos une véritable conférence. A l'entendre, une femme, de nos jours, peut parfaitement être mariée et suivre une carrière d'artiste. Quand j'étais jeune, la carrière de la femme, c'était le mariage; mais peut-être les idées ont-elles beaucoup évolué; il faut avoir de l'indulgence. J'aime beaucoup Nancy. Pourvu, seulement, que mon Chris soit heureux avec elle!

— Il le sera, affirma Catherine avec conviction. Je connais Nancy; elle est encore très jeune, mais c'est une nature très droite. Et, sérieusement, je ne crois pas qu'elle reste bien longtemps au théâtre. Dès qu'elle verra qu'elle n'est pas une grande étoile, elle dira adieu à la scène pour n'être plus qu'une bonne épouse. Laissons-la agir, et tout s'arrangera de soi-même.

— Espérons-le, soupira Mrs. Madden, avec dans ses yeux songeurs la même expression grave et calme.

La conversation fut interrompue par Mrs. Hickey qui apportait une assiette de gâteaux tout chauds; et ensuite, ni Catherine, ni Mrs. Madden ne revinrent sur ce sujet.

L'après-midi, Catherine préféra ne pas sortir. Elle prévoyait que la promenade annoncée pour le soir serait assez fatigante. Effectivement, les invités furent encore plus nombreux que la veille, et on ne perdit pas de temps à table. Tous avaient hâte de se mettre en route et, vers huit heures, une vingtaine de personnes s'acheminaient joyeusement vers le lac. Madden en était. Nancy, par contre, avait refusé de venir, jurant ses grands dieux que la seule vue d'une paire de patins la rendrait folle. Elle voulait, disait-elle, rester à la maison pour travailler.

A l'embarcadère, une fois les patins chaussés, tous se donnèrent la main en croisant les bras, et la longue chaîne humaine s'éloigna dans la douce lumière du crépuscule. Ils avançaient d'un rythme régulier dans l'enchantement de la nuit tombante. La lune, très haut dans le ciel, avait l'air d'un énorme lampion et projetait sur la glace ses reflets d'argent. Au sud, les toits familiers du village scintillaient sous le givre. A l'est, les chaînes de montagnes formaient un pont immense qui semblait conduire à la demeure des dieux. Mais devant les patineurs, à la sortie du golfe, le lac gelé étendait à perte de vue son miroir sombre, lisse comme le marbre et doux comme l'agate.

Haletante, Catherine fendait l'espace. Elle avait souvent patiné sur les étangs des environs de Londres, où flotte toujours un léger brouillard et où le dégel est toujours à craindre. Mais jamais elle n'avait trouvé une étendue pareille, un air aussi pur, une glace comme celle-là, vierge de toute trace et de toute souillure. La joie inondait son cœur. Le léger grincement des patins chantait à ses oreilles comme une musique. Le vent lui cinglait les joues, faisait flotter derrière elle les bouts de son écharpe et lui fouettait le sang. Elle sentait couler dans ses veines une griserie semblable à celle du champagne.

Ils atteignirent enfin leur île, un petit monticule rond, à cinq milles au large, couvert de buissons secs et de petits saules. Quelques minutes plus tard, le grand bûcher préparé d'avance était en flammes. Les patineurs formèrent un grand cercle autour du feu. Les thermos furent sortis, et les gobelets de café ou de lait circulèrent de main en main. Avec l'air de déterrer un trésor, Betty Lou tira de son manchon de fourrure un paquet de biscuits. Puis Andy Dunn, le commis du grand bazar local, prit son accordéon. Il jouait de vieux airs populaires, tout empreints de tendresse et de rêverie, *Swanee River*, *Aunt Dinah*, ou *Uncle Ned*. Simples et belles, les mélodies s'élevaient dans le ciel nocturne, et tous, sans s'en rendre compte, se mirent à chanter.

Catherine contemplait autour d'elle les visages des chanteurs éclairés par les reflets du brasier et, pour la deuxième fois ce jour-là, elle sentit les larmes lui venir aux yeux. De tout son cœur, elle aurait désiré que Nancy fût là. On sentait régner entre tous ces êtres ainsi réunis une solidarité muette et profonde, cette fraternité qui unit, sur la terre, les hommes de bonne volonté.

Soudain, ils entonnèrent une chanson gracieuse entre toutes; c'était *Juanita*. Catherine n'y tint plus; elle était des leurs et se mit à chanter.

Elle jeta alors un regard furtif à Madden, et s'aperçut qu'il avait les yeux fixés sur elle. De toute la journée, et même depuis son arrivée, elle l'avait à peine vu. Mais, à ce moment, elle surprit sur son visage une expression de trouble étrange et profond. Il la considérait comme s'il avait quelque peine à la reconnaître, comme s'il la voyait pour la première fois de sa vie.

Lorsqu'ils eurent fini de chanter, il y eut un long silence, chacun se rendant compte que le répertoire était épuisé. Alors ils se levèrent, et les rires et les bavardages reprirent de plus belle. Soudain, Catherine sentit que Madden se tenait debout à ses côtés.

— C'est si gentil à toi, lui dit-il d'une voix étrangement contrainte, de te joindre ainsi à nous.

— Pourquoi-pas?

Elle se mit à rire, et dans son rire, il y avait un peu d'angoisse.

— Seulement, je n'arrive pas à chanter deux notes justes!

— Qu'est-ce que ça fait? répliqua-t-il. C'était très bien.

Lorsqu'ils se reprirent tous par la main en croisant les bras pour regagner la rive, Madden demeura avec Catherine. Ses mains, dans les gants de laine dure, saisirent les siennes avec une douce fermeté. Tout le temps de la course à travers le lac, à peine prononça-t-il quelques mots. Il ne lui jeta, lorsqu'ils furent rentrés, qu'un regard rapide, vite détourné, et d'une voix brève lui souhaita une bonne nuit.

Pourtant, il ne se coucha pas encore. Abandonnant les autres, il se glissa dans le verger où, sous la lune, les pommiers tordaient avec des gestes grotesques leurs branches noueuses et leurs troncs ravagés. Un moment, il resta figé. Puis, machinalement, il chercha à allumer sa pipe; mais elle s'éteignit bientôt et, sans s'en rendre compte, il la conserva entre les dents. Tout à coup, derrière les rideaux, dans la chambre de Catherine, la lumière s'alluma. Le souffle coupé, Madden tenait les yeux fixés sur la fenêtre. Puis il appuya son front contre la froide écorce d'un arbre. Son visage, sous la pâle clarté de la lune, avait l'air aussi ravagé que les vieux troncs rugueux qui projetaient leur ombre autour de lui.

XIII

Catherine était de nouveau à New York. On n'était encore que le lundi, et il y avait trois jours seulement qu'elle avait débarqué à la gare du Grand Central. Mais ces trois jours lui paraissaient une éternité. Dans le tumulte de la grande ville qui l'enveloppait les journées passées à Graysville lui laissaient le souvenir d'un rêve lointain et très doux.

Nancy et Madden étaient également rentrés. Bertram avait passé contrat avec l'*Imperial Theater*, et les répétitions avaient commencé. Ayant décidé de remettre son voyage à Cleveland, pour faire plaisir à Nancy, Madden s'était de nouveau installé à l'hôtel Waldorf.

Dans les journées qui suivirent, Catherine ne le vit guère, et elle fut également privée de la compagnie de sa nièce. Bien que Nancy fût complètement accaparée par son théâtre et par les répétitions, Madden ne la quittait presque jamais. Il la conduisait à midi, l'après-midi et le soir, dans les restaurants les plus élégants, et lui passait toutes ses fantaisies. Nancy s'était mise au travail avec un zèle forcené, mais, en même temps, elle se jetait à corps perdu dans les plaisirs de la vie mondaine. C'est ainsi qu'elle avait combiné, pour le jeudi soir, de se rendre dans une boîte de nuit avec Catherine et Madden.

Catherine n'y tenait guère, mais elle céda pour faire plaisir à Nancy. Toutes ses énergies, elle cherchait à les concentrer sur ses affaires. Elle était obsédée par la pensée qu'il lui fallait absolument vendre la miniature, et elle attendait avec impatience l'arrivée de Brandt. L'inquiétude, elle s'en rendait compte, mettait sa résistance nerveuse à une rude épreuve. Lorsque le jeudi arriva, elle se sentait irritable et surmenée. Une seule chose était claire à ses yeux, par trop claire, l'intense désir qu'elle éprouvait de revoir Madden.

Lorsqu'ils se retrouvèrent le soir, elle fut effrayé du changement qui s'était opéré en lui. Il paraissait avoir maigri et vieilli, et ses yeux étaient cernés d'ombres profondes.

Ce fut une étrange rencontre. Leur charmante amitié, le souvenir des heures passées à Londres et durant la première partie de la traversée, puis de la nuit où ils patinaient côte à côte sur le lac de Graysville, tout cela semblait rayé de son esprit. Son attitude trahissait une réserve presque douloureuse. Il ne la regardait pas ; et lorsqu'il lui tendit la main, elle était de glace. Pour Catherine, ce fut un instant cruel. Quant à Nancy, elle était trop occupée d'elle-même pour s'apercevoir de rien.

Ils restèrent quelques minutes dans le hall de l'hôtel. La conversation languissait. Madden sortit sur le trottoir et héla un taxi. Lorsqu'ils arrivèrent à la boîte de nuit, la salle était comble, mais ils avaient réservé une bonne table. Catherine fut de nouveau étonnée de l'aisance avec laquelle Madden, qu'elle revoyait dans son souvenir au milieu de gens frustes, et vêtu simplement de son chandail de laine, savait donner ses ordres.

Il commanda un magnum. Malgré le champagne, la conversation traînait toujours. Heureusement, et peu après leur entrée, les lumières s'éteignirent pour le premier numéro du programme de cabaret. Daisy Jervis parut. S'avançant sous l'éblouissante clarté du projecteur vers le microphone installé au milieu de la scène, elle commença à chanter son répertoire. C'était une artiste connue de la radio. Elle n'était pas belle, mais sa débordante vitalité exerçait une véritable fascination.

Nancy l'écoutait avec une attention soutenue et dans un parti pris de critique qui est le propre du métier. Bien qu'elle n'échappât pas à l'ambiance, Catherine ne pouvait détourner ses yeux du profil de Madden. Sous la lumière qui tombait de la scène, il paraissait plus maigre encore et plus pâle. Il fumait sans arrêt et ses doigts agités de mouvements fié vreux, étaient jaunis par le tabac. Elle ne l'avait pas encore remarqué. Était-ce le signe d'un souci secret qui semblait s'être abattu brusquement sur lui? Il évitait toujours de la regarder. Ses lèvres étaient serrées, et sa bouche figée dans une expression de morne abattement.

Le numéro s'achevait et Nancy, qui ne remarquait rien, buvait son champagne en faisant des réflexions sur leurs voisins de table. Elle reconnaissait déjà la plupart des " dix-mille " de la haute société new-yorkaise, et, en toute autre circonstance, les petits traits qu'elle décochait avec des mines de supériorité auraient fait l'effet d'une satire très amusante. Soudain, elle fit un signe de la main, vers un coin de la salle où elle avait découvert quelques amis de la troupe.

— Bertram est ici, Catherine! dit-elle. Avec la Brent et John Sydney. Ils n'ont pas, et de loin, une aussi bonne place que nous! À ta santé, Chris!

Daisy Jervis entonna une nouvelle chanson, une rauque mélodie de Broadway, toute en dissonances brutales et en brusques syncopes. C'était le clou de son numéro et on l'écoutait dans un profond silence. La voix dure de la chanteuse rendait admirablement le rythme aigu et traînant de la vie des rues, et reflétait aussi toutes les cruautés et tout l'éclat de la vie moderne.

Catherine, maintenant, était conquise. Elle ne pouvait se soustraire à l'insistance de ces cadences martelées. Mais ce chant lui faisait mal et elle avait le cœur serré. Elle jeta un regard dans la salle surchauffée, resplendissante de fleurs et de bijoux. Au milieu de ce luxe provocant, parmi les décorations exotiques et les bouteilles de grand prix, c'était une humanité parfumée et soignée, figée dans des robes de soie et des plastrons empesés, des hommes aux visages rusés et durs, des têtes de femmes fardées comme des masques et d'une beauté presque métallique.

Un grand découragement s'empara d'elle et un intense besoin d'évasion. Involontairement, elle revit Graysville et le joli paysage de Vermont, pensa à tout ce que la vie peut offrir de simple et de beau, l'air frais, une nourriture saine et l'âpreté des clairs horizons champêtres. Une douloureuse nostalgie, comme elle n'en avait encore jamais éprouvée de sa vie, la saisit. Elle aurait voulu échapper à ce décor artificiel et finir son existence dans une tranquille retraite. Cette même nostalgie, se disait-elle, Lucie de Quercy avait dû la ressentir, lorsque après avoir assisté aux festivités de la Cour elle avait appris la mort du bien-aimé de son cœur, et trouvé son bonheur détruit.

Les lumières se rallumèrent. Catherine ne put voir Madden, car il avait caché son visage dans sa main; mais Nancy eut un cri d'enthousiasme :

— Cette femme est épatante! C'est vraiment un numéro sensationnel!

Catherine avala une gorgée d'eau glacée. L'exclamation de Nancy lui faisait mal. Tout ce qui l'entourait lui paraissait toujours plus creux et plus vain. A son grand soulagement, un garçon s'approcha au même instant de la table pour annoncer qu'on demandait miss Lorimer au téléphone. Catherine s'excusa, se leva et le suivit.

Après son départ, il y eut un étrange silence.

— Catherine n'est pas tout à fait dans son assiette, remarqua enfin Nancy. Tout cela ne lui dit rien.

— Non, répéta Madden qui jouait avec une fourchette, ça ne lui dit rien.

— La pauvre! dit Nancy. Et elle fait un tel effort!

Il lui jeta un regard rapide.

— Elle s'est déjà beaucoup dépensée pour toi, n'est-ce pas?

— Oh! oui, naturellement, répliqua Nancy, et on peut dire que c'est de tout cœur.

Madden se redressa. Levant la tête, il se versa un nouveau verre de champagne et le but d'un trait. Puis il s'accouda sur la table.

— Écoute, Nancy, déclara-t-il d'un ton grave, j'ai quelque chose à te dire. Depuis que nous sommes revenus de Graysville, j'ai réfléchi. Je pense que nous devrions nous marier tout de suite.

— Si tu veux, répondit Nancy avec un léger sourire.

Les yeux sombres de Madden ne la quittaient pas.

— Je veux dire, vraiment tout de suite. Il faut en finir. Nous nous marierons dans les derniers jours de la semaine prochaine.

— Et pourquoi, Chris?

— Pourquoi pas? Tu m'aimes, n'est-ce pas?

— Tu le sais bien!

— Alors, c'est entendu. Samedi en huit, à mon retour de Cleveland; et tu auras ta première représentation derrière toi.

L'insistance qui passait dans sa voix la toucha. Elle baissa les yeux.

— Bien, chéri, murmura-t-elle. C'est entendu. Je suis réellement très heureuse, tu sais. Figure-toi qu'à Graysville, j'étais tourmentée par l'idée que tu me demanderais de quitter le théâtre avant notre mariage.

— L'aurais-tu fait?

Elle fit signe que oui.

— Cela n'aurait peut-être pas été de mon seul mouvement, car j'avais l'impression de n'être pas très bien vue là-bas. Il me semblait qu'on m'en voulait d'être actrice. Et pourtant, chéri, le théâtre, pour moi, représente tant de choses!

Ses yeux, qui le fixaient tendrement, reflétèrent à ce moment une émotion réelle.

— J'ai à peine débuté. Mais je ferai mes preuves, tu verras! Et pas avec des rôles imbéciles dans des farces idiotes, mais avec des créations véritables : Ibsen, Shaw, Shakespeare. Un jour, Chris, je jouerai Ophélie, et à t'en couper le souffle. Je sais que je le peux et il faut que j'arrive. Je veux que tu sois fier de moi. Ah! chéri, c'est terrible d'avoir dans le sang une vocation pareille! Elle est aussi forte que mon amour pour toi. Je n'y puis rien; jamais je ne pourrai y renoncer! Et pourquoi le ferais-je? Notre amour est compréhensif; et nous vivons au vingtième siècle, n'est-ce pas? Il n'y a pas de raison au monde qui pourrait m'empêcher de t'avoir à moi tout en poursuivant ma carrière. En connais-tu une, chéri, dis?

Cette déclaration, faite sur un ton de passion inattendue,

le troubla profondément. Il garda les yeux baissés, mais lui saisit la main par-dessus la table et la serra.

— D'abord, je ne pouvais pas te comprendre, Nancy, mais maintenant, je te comprends. Je pensais que tu n'avais pour le théâtre qu'un emballement superficiel. Mais crois-moi, si cela te plaît de concilier le mariage et ta carrière, je m'en arrangerai très bien, moi aussi.

Il y eut un silence.

— Les gens se sont toujours disputés sur cette question de mariage et de carrière. Mais nous, nous saurons la résoudre, n'est-ce pas, Chris?

— Oui, nous saurons.

— Je te remercie, Chris, murmura-t-elle. Mon amour pour toi en sera plus grand encore.

Ils se turent de nouveau, puis elle demanda :

— Et toi, chéri, m'aimes-tu toujours autant?

Il la fixa de son regard calme et clair.

— Oui, répondit-il, je t'aime, Nancy. Ne te l'ai-je pas dit cent fois?

Lorsque Catherine revint, ils parlaient de choses indifférentes. Il se faisait déjà tard. L'orchestre entonna un de ces morceaux entraînants qui annoncent en général la fin du spectacle. Pour la première fois de la soirée, Madden fixa Catherine dans les yeux. Il semblait avoir retrouvé son équilibre et il demanda d'un ton aimable :

— Bonnes nouvelles, j'espère?

Catherine sourit.

— C'était Breuget. Brandt l'a appelé de Chicago pour prendre rendez-vous. Il a reçu les photos que je lui ai envoyées, des agrandissements en couleur de la miniature, et il est tout à fait emballé. Il arrive demain en avion à New York et nous nous rencontrerons à trois heures. Je n'ai qu'à lui remettre la miniature, et l'affaire est réglée.

— Fameux!

Nancy avait clamé sa satisfaction à travers la table. Son visage rayonnait comme s'il s'était agi de son propre bonheur.

— Je te félicite, chérie! Ah! que je suis contente!

— Oui, c'est une pierre qu'on m'enlève du cœur, ajouta Madden.

— A moi aussi, dit Catherine.

La musique s'était tue. Il était deux heures du matin, et les gens se levaient pour partir.

— Je pense, déclara Madden, que nous allons tous nous coucher.

Nancy se mit à rire.

— Tu es fou, chéri! Il est encore beaucoup trop tôt. Il faut fêter l'événement.

Elle s'enveloppait dans sa fourrure.

— Allons donc chez Longchamps, manger un sandwich avec Bertram et sa compagnie.

Une ombre passa sur le visage fatigué de Madden, mais il se ressaisit aussitôt. Catherine n'avait guère envie, non plus, de prolonger la soirée. Elle voulut dire quelque chose, mais y renonça. Dans le vestibule, ils retrouvèrent Bertram et les autres. Leslie, Jean Marks et Gloria Bishops se joignirent à eux et, en contemplant l'image impressionnante que formait leur groupe dans les grandes glaces, Nancy se sentit toute flattée dans son orgueil. Par la suite, Catherine n'eut pas l'occasion de s'entretenir avec Madden.

Le lendemain, celui-ci partit pour Cleveland.

XIV

Vers trois heures de l'après-midi, Catherine se rendit à son bureau où Brandt devait venir la voir. Une pluie fine remplissait l'air. Contrairement à ses habitudes, elle prit un taxi et, tandis qu'elle roulait lentement à travers les rues, ses pensées lui paraissaient aussi troubles, aussi grises, aussi embrouillées que les lourdes nuées qui traînaient dans le ciel. Elle revoyait pêle-mêle les scènes de la nuit passée, le club, Daisy Jervis, la société chez Longchamps, les allures désinvoltes de Nancy et le visage de pierre de Madden.

Ensuite, avec une parfaite lucidité, elle évoqua l'image de Chris qui, après plusieurs semaines d'une oisiveté inaccoutumée, débarquait à Cleveland pour se remettre à son travail de tous les jours. Elle le voyait descendre du train, sa serviette à la main, le col relevé et le chapeau rabattu. Il s'arrêtait ensuite, pour contempler, de son regard sombre et sérieux, la petite fabrique qui fut au départ de sa fortune, où tous, employés, ouvriers, commis et représentants, s'apprêtaient à lui souhaiter la bienvenue.

Sur quoi se basait-elle pour reconstituer cette scène, elle n'aurait pu le dire, mais elle était aussi convaincue qu'elle ne se trompait pas que si elle y eût vraiment assisté.

Elle soupira, et essaya de s'arracher à ses songeries pour concentrer toutes les forces qui lui restaient en vue de sa rencontre avec Brandt. Dès qu'elle aurait vendu la miniature, elle pourrait prendre ses dispositions, et rentrer tout de suite en Angleterre. Dès le lendemain de la première représentation de Nancy, rien ne la retiendrait plus. Madden et Nancy n'auraient plus besoin d'elle. Pendant leur lune de miel, se disait-elle avec un peu d'amertume, elle ne pourrait que les gêner.

Un léger frisson la saisit lorsqu'elle descendit de la voiture et traversa la rue sous la pluie. Breuget l'attendait dans le bureau privé, une modeste petite pièce juste assez grande pour contenir un secrétaire, un radiateur électrique et deux chaises. Il était nerveux, et elle s'en rendit compte tout de suite, bien que son visage maigre, au profil d'aigle, affichât une insouciance polie. Il lui avait préparé du café sur le petit réchaud et, avec de grands airs solennels, à la fois cocasses et touchants, il le lui servit en y joignant quelques biscuits. Elle accepta avec reconnaissance. C'était un bon café à la française, chaud et fort. Pendant qu'elle buvait, elle observait le vieil homme, sa figure caractéristique, son costume qui portait la marque de nombreux repassages et dont les manches étaient bien usées, sa chemise d'une blancheur impeccable mais qui laissait entrevoir, sous le haut col empesé, quelques reprises exécutées avec soin, ses chaussures si parfaitement cirées que les craquelures du cuir en devenaient presque invisibles. Et soudain, elle se sentit gagnée par une pitié infinie. Elle n'avait jamais voué une attention particulière à Breuget, sauf lorsqu'il s'agissait de ses affaires, mais tout à coup, elle éprouvait envers lui un sentiment tout nouveau, celui de la compassion humaine, et elle lisait clairement sur lui l'histoire d'un long combat contre la déchéance, d'un effort désespéré pour défendre l'honorabilité de sa médiocre existence.

— Et puis, dit-elle brusquement, si nous réussissons, nous verrons à améliorer un peu votre situation.

Breuget rougit jusqu'à la racine de ses rares cheveux gris :

— Oh! non, miss Lorimer.

— Si, si! Breuget, répliqua-t-elle d'un ton décidé.

Il la regarda de côté d'un air timide, puis détourna les yeux.

— Merci, miss Lorimer, balbutia-t-il, merci beaucoup...

Ils se turent. Il tira sa montre, une montre ouvragée de style Louis-Philippe, en or et émail, un souvenir des beaux temps révolus.

— J'espérais que M. Brandt allait venir.

— Il n'est pas encore trois heures?

— Si, exactement, miss Lorimer.

— Allons, ne vous tracassez pas, Breuget.

Elle lui adressa un sourire amical et encourageant.

— Autant dire que vous tenez votre augmentation.

Elle s'imaginait que c'était la raison de la nervosité manifestée par le pauvre homme.

— Oh! ce n'est pas ça, expliqua-t-il précipitamment. C'est pour vous. Il s'agit d'une affaire d'une telle importance...

Il s'interrompit avec un vague haussement d'épaules.

— Brandt marchera.

Elle parlait sur un ton d'absolue certitude.

— Après tout ce qu'il a déclaré... Nous le connaissons, n'est-ce pas? Il tient sa parole.

Il y eut un nouveau silence, durant lequel ils pensèrent tous deux à leur fameux client. Selon l'expression de Catherine, Brandt savait ce qu'il voulait et l'obtenait toujours. C'était un petit homme noir et trapu, qui dissimulait son regard perçant sous des lunettes, et qui avait réalisé une fortune fabuleuse par l'habile combinaison de deux métiers, les transports et le commerce de bois de construction. Dans tout le pays, son nom seul évoquait un extraordinaire esprit d'entreprise. L'histoire de ses créations, depuis l'immense chaîne de ses dépôts de bois dans le Nord-Ouest, jusqu'à ce nouvel institut de chimie qu'il venait d'ériger à San Francisco dans un but humanitaire, tenait presque de la légende; et le compte des trésors accumulés dans son château espagnol, dans son palais de Venise et dans sa grande maison de style baroque aux environs de Key West, se chiffrait par millions.

Une telle vitalité se dégageait de sa personne qu'il suffisait de penser à lui pour qu'on eût le sentiment de sa présence. Catherine sursauta lorsqu'elle s'aperçut, en sortant de ses songeries, qu'elle était toujours seule avec Breuget. La montre du vieil homme, avec son tic-tac impitoyable, indiquait maintenant trois heures et quart.

— N'est-ce pas extraordinaire, miss Lorimer? demanda-t-il, en se raclant la gorge. Dois-je peut-être l'appeler au téléphone?

Catherine fit signe que non.

— Ne le bousculons pas. S'il n'est pas retenu, il viendra encore. Sinon, il nous appellera lui-même.

— Bien, miss Lorimer.

Breuget ne put pourtant supporter la tension de l'attente. Se glissant en tapinois dans le grand bureau, il se posta derrière la porte vitrée d'où il pouvait surveiller une partie de la rue. Catherine s'accouda et resta immobile. Elle guettait les bruits de l'entrée, mais seul le vacarme de la rue et les cris d'un vendeur de journaux parvenaient à son oreille. Ces cris, elle ne savait pourquoi, lui faisaient un effet particulièrement énervant. Au même instant, Breuget se précipita vers elle, un journal à la main. Il avait l'air hagard, comme s'il avait reçu un choc violent sur la tête. D'abord, il lui fut impossible de proférer un mot. Tout haletant, les yeux fous, le visage blanc comme de la craie, où se voyaient seules les deux taches rouges des pommettes, il demeurait planté sur le seuil.

— Voyez, miss Lorimer, s'écria-t-il enfin d'une voix entrecoupée, voyez!

Elle bondit, saisie d'une crainte aiguë.

— Que se passe-t-il?

— Brandt est..., il ne... il n'achètera pas la miniature...

Sa voix s'étrangla. Ses traits se crispèrent, et il s'affala sur une chaise en fondant en pleurs.

Catherine lui arracha le journal des mains, et un grand titre, en première page, lui apprit que Brandt avait trouvé la mort avec dix autres passagers dans un terrible accident d'avion.

XV

Catherine quitta le bureau en chancelant et, tout en cheminant dans l'épais brouillard, elle n'avait plus qu'un unique désir, celui de ne voir ni d'entendre personne et de rester seule avec sa détresse. La tête haute, les yeux fixes et vides, elle descendit la rue; traversant Madison Avenue, elle échoua, par une sorte d'instinct obscur, dans une région déserte de Central Park. Durant quelques minutes, elle erra encore, puis s'affala sur un banc, près du lac gelé, et lutta désespérément pour remettre un peu d'ordre dans ses idées.

La nouvelle de la fin tragique de Brandt l'avait frappée de stupeur et de vertige. Elle avait de la sympathie pour lui. Dans toutes les questions d'affaires, il s'était toujours montré absolument irréprochable; et, à travers le halo de cette immense fortune, elle avait découvert une nature si simple et si généreuse qu'elle avait pris l'habitude de le considérer non seulement comme un mécène, mais comme un véritable ami. Et il était mort...

Immobile et solitaire au fond du grand parc désert, elle se sentait totalement abandonnée. Dans la pâle clarté du crépuscule, les silhouettes des édifices et des monuments apparaissaient comme le symbole d'une civilisation puissante et toute débordante de vie. Mais elle, elle était seule. Quelques enfants avaient passé devant elle, sur le lac, mais ils étaient partis depuis longtemps, ne laissant sur la glace que les égratignures et les arabesques de leurs patins. A l'abri d'une petite île, les poules d'eau, leurs ailes froides rabattues sur leurs pattes écarquillées, s'abandonnaient à leurs tranquilles méditations. Les lumières de l'allée formaient une chaîne infinie qui se perdait au loin dans le néant. Tout n'était qu'ombre, angoisse et silence.

Peu à peu, elle eut une vue plus claire de sa situation. Elle était perdue. Avec la disparition de Brandt, les chances de vendre la miniature, rapidement et à un bon prix, s'étaient évanouies. L'échéance de la banque approchait. Pour y faire face ainsi qu'à ses autres engagements, il lui faudrait réaliser tout ce qu'elle possédait : ses stocks, ses créances, ses commandes et jusqu'à sa raison sociale, avec le renom qui s'y attachait. Elle pourrait même s'estimer heureuse si elle parvenait ainsi à éviter la honte de la faillite. Mais de toute façon, elle était vaincue et ruinée. C'était la fin de sa carrière, le lamentable effondrement de l'édifice qu'elle avait bâti avec tant de peine. Une douleur aiguë lui tordit le cœur lorsqu'elle évoqua ses espérances si tôt déçues, la douce griserie de son éphémère succès... Tout était anéanti, dispersé comme cendre au vent.

Puis elle songea à ceux qu'elle entraînait avec elle dans son malheur, et son tourment s'en accrut. Walters et miss Muller, Breuget — ah! le pauvre Breuget! — et surtout sa mère, subiraient le dur contrecoup de sa ruine. Seule, Dieu en soit loué, Nancy n'avait maintenant plus besoin d'elle. Mais tous les autres! Il lui était intolérable de penser qu'ils allaient souffrir à cause d'elle. Naturellement, elle continuerait à travailler, et, bien qu'elle fût encore jeune, elle trouverait un refuge dans une activité faite d'efforts incessants, d'implacable renoncement et de constant scrupule, cette conception de la vie qui était chez elle un héritage du puritanisme paternel. Mais parviendrait-elle jamais à reconquérir une position analogue à celle qu'elle avait perdue? D'autres — elle songeait à Bertram — étaient capables de perdre joyeusement une fortune et de la refaire en une année. Elle n'était pas de ces gens-là. La course de son étoile était réglée par des lois sévères; si elle tombait, elle ne se relèverait plus. Dans les derniers temps, elle avait été constamment obsédée par un étrange sentiment d'impuissance, comme si elle était livrée sans défense aux coups du sort. Elle prenait mieux conscience, en cet instant, de son destin. En somme, elle n'était qu'une pauvre femme désarmée, et elle aurait eu besoin d'un bras vigoureux pour s'y accrocher, de la protection d'une volonté plus forte.

Dans ces affres de la détresse et du désespoir, elle eut la tentation d'en finir avec l'existence. C'eût été si facile de se laisser couler dans les sombres et accueillantes profondeurs de l'oubli... Les autres ne sauraient rien. Un simple faux pas au passage d'une voiture, un accident banal, et elle serait libérée de toute sa misère, elle dormirait pour toujours et bientôt personne ne penserait plus à elle.

Mais, au même moment, elle eut un sursaut de lucidité, et repoussa toutes ces images qui lui apparaissaient comme une souillure. Courage! Ce mot avait toujours été la devise de sa vie. Seul le courage comptait, et devant cette défaite, elle avait plus besoin d'énergie que jamais. Se levant d'un bond, elle serra plus étroitement son manteau contre ses hanches et se dirigea d'un pas ferme vers l'hôtel.

Nancy, qui s'apprêtait justement à aller à sa répétition, s'élança à sa rencontre et lui jeta les bras autour du cou.

— Catherine chérie, s'écria-t-elle, je suis si horriblement triste!

Elle avait lu la nouvelle dans les journaux, et elle poursuivit d'une voix précipitée :

— Il faut pourtant espérer que tout n'est pas perdu! Quelle déveine! Si au moins, c'était arrivé après et pas avant!

Catherine avait retrouvé la complète maîtrise d'elle-même. Elle répondit avec calme :

— Brandt est mort, tu ne dois pas l'oublier.

— Évidemment, chérie..., dit Nancy.

Elle hésita.

— C'est bien là ta manière de considérer la vie.

Elle s'attarda encore un moment, accabla Catherine de marques de sympathie et de gentils bavardages, la fit asseoir, lui offrit un cocktail et une cigarette, la pressa de manger quelque chose. Mais tout cela était parfaitement superficiel; au fond, elle brûlait du désir de courir au théâtre, d'assister à la répétition et de retourner à ses petites affaires personnelles. Enfin, elle s'enfuit avec un petit geste de tendre regret.

Catherine avait la gorge trop serrée pour manger. Elle se fit apporter un verre de lait chaud et l'avala avec deux cachets soporifiques. Le sommeil était maintenant pour elle l'unique réconfort. Se déshabillant, elle se coucha aussitôt.

Sous l'effet de la drogue, elle s'assoupit profondément, mais, dans le bercement de son rêve, un vol d'images confuses et grotesques la harcela sans cesse.

Elle était poursuivie par la folle idée qui lui avait déjà passé par l'esprit depuis longtemps, et qui aggravait encore sa peine. Lucie de Quercy, celle-là même dont la miniature reproduisait les traits, s'éveillait à la vie, et s'identifiait avec la personnalité de Catherine, dont elle épousait le malheur et l'abandon. Elle-même, Catherine Lorimer, n'était plus que l'image animée de celle que Holbein avait peinte, cette victime de la vie et de l'amour. C'étaient ses propres lèvres qui se forçaient à esquisser ce sourire pâle et fixe; c'était sa propre main qui, d'un geste las, tenait le bouquet d'œillets. Toutes les circonstances à la suite desquelles le portrait était devenu sa propriété formaient un enchaînement inéluctable. Il était à la fois un souvenir et une prophétie. Ce n'était pas seulement l'histoire, mais le destin même de la malheureuse Lucie de Quercy qui se répétait en elle. Et l'évidence de cette fatalité, lui apparaissant parmi les ombres mouvantes de son cauchemar, lui arracha un grand cri de terreur.

La gorge sèche, elle sursauta. La sueur coulait sur son front. Elle s'aperçut que le jour s'était levé. Aussitôt, elle reprit conscience de la situation dans laquelle elle se trouvait et sa douleur se réveilla, plus aiguë, plus vivace. Pour y échapper, elle bondit hors de son lit, prit une douche et s'habilla hâtivement. Un regard dans la chambre voisine lui apprit que Nancy reposait encore.

Catherine sortit. Elle n'avait aucun projet. Elle ne voulait pas retourner à son bureau, car elle ne pouvait supporter l'idée de voir Breuget et le théâtre de son malheur. Ses gestes lui apparaissaient comme à travers un brouillard. Tout étourdie, elle s'en alla le long de la 52e Rue. A un croisement, elle entra dans un bar et commanda une tasse de café et un petit pain. Puis elle traversa Times Square, et se laissa entraîner par la foule qui se ruait dans l'escalier d'une station souterraine du métropolitain. Échapper et fuir!... Elle se trouvait maintenant dans un compartiment bondé, et la rame fonçait en grinçant et en sifflant à travers l'obscurité. Elle ne pensait qu'aux moyens de s'évader, et, déjà, elle était arrivée à la dernière station. Sur le quai désert, le vent avait un goût de sel, et la rumeur lointaine des vagues remplit tout à coup ses oreilles. Elle suivit une rue grise et sale, bordée de boutiques en désordre, de bars où l'on dégustait des huîtres et du poisson, de tirs forains aux parois démantibulées et gondolées, placardées de vieilles affiches en lambeaux. Devant elle s'élevaient les maigres échafaudages squelettiques et grotesques d'un Luna-Park. Une lumière se fit dans son esprit et elle en éprouva un sentiment d'amère dérision. Ses lèvres se crispèrent en un rictus douloureux. Elle était à Coney-Island.

Plus loin, un quai solitaire bordait à perte de vue le double néant de la mer et du ciel. L'air était clair et froid. Longtemps, Catherine suivit la chaussée déserte. Elle marcha tout le jour, tête baissée et les yeux fixes, comme si elle cherchait quelque chose; mais bien qu'elle eût retrouvé un peu de sa lucidité et de son équilibre, il n'y avait dans son âme qu'abandon et désespoir. Puis le crépuscule la repoussa vers les lumières de la ville, la rejeta dans le tourbillon ironique et affolant de New York, aux éclairages éblouissants et multicolores, dans le grouillement sauvage de ses rues.

A son retour à l'hôtel, elle se sentait au dernier degré de l'abattement et de la fatigue quand, soudain, son regard tomba sur un monceau de petits papiers blancs portant tous l'inscription usuelle : " Un message vous attend au bureau. " Au même instant, le téléphone intérieur sonna.

— Oh! miss Lorimer, dit une voix polie et chantante, M. Breuget a vainement cherché tout le jour à vous atteindre. Il a appelé plusieurs fois, et plusieurs fois aussi, il est venu lui-même.

“ Ah! ce n’est que Breuget ”, pensa Catherine tristement; puis elle répondit :

— C’est bien, merci. Je lui téléphonerai plus tard.

Elle allait raccrocher, d’un geste las, lorsque la voix se fit de nouveau entendre :

— Un instant, je vous prie, miss Lorimer. Voici précisément M. Breuget.

Il y eut un déclic, et Breuget intervint.

— Allô! Allô! Est-ce vous, miss Lorimer? Au nom du Ciel, où vous cachez-vous?

Contenant de la main sa tempe douloureuse, Catherine se força à prendre un ton calme :

— J’ai un peu flâné toute la journée, Breuget. Ne vous faites pas de mauvais sang.

— Mais, mon Dieu! clama-t-il, vous ne savez donc pas ce qui est arrivé?

Étonnée par la délirante excitation de Breuget, Catherine s’humecta les lèvres.

— Qu’y a-t-il donc?

— Je vous cherche partout depuis ce matin, s’écria Breuget tout haletant. Je ne puis pas me contenir davantage, sinon j’éclaterai comme un ballon. Miss Lorimer, chère miss Lorimer, nous avons vendu le tableau!

— Quoi?

— Mais oui, c’est vrai! Aussi vrai qu’il y a un Dieu dans le ciel. Je voudrais rire, je voudrais chanter, je voudrais danser de joie!

Catherine vit la chambre qui tournait. Elle ne pouvait y croire, et se disait que le vieil homme avait perdu l’esprit. Pressant l’écouteur contre son oreille, elle dit d’une voix lente et pénétrante :

— Breuget! demanda-t-elle, êtes-vous fou?

Il l’interrompit d’un flot de paroles bruyantes.

— Le Ciel soit loué! Pas du tout. Mes cinq sens fonctionnent normalement, miss Lorimer. Écoutez donc! Laissez-moi vous expliquer, je vous prie, ou j’aurai une attaque. Ce matin, survient Ascher, amical et fraternel. Il déplore la mort de Brandt et tout ce qui s'ensuit. Bavarde une demi-heure de choses et d'autres. Puis il déballe sa petite affaire : il était chargé de nous offrir cent mille dollars pour la miniature.

Catherine fut prise d'un nouveau vertige. Elle se cramponna au bord de la table et il lui fallut toute son énergie pour ne pas tomber. Sans doute, elle pouvait ajouter foi à ce que Breuget racontait.

— J'espère, murmura-t-elle faiblement, que vous avez accepté?

— Et comment! hurla-t-il.

Il y eut un silence frémissant, puis Catherine balbutia d'une voix blanche :

— Ainsi, nous l'avons pourtant vendu... cent mille dollars.

— C'est fait! vociféra Breuget dans une explosion de joie. Le chèque est déjà tiré. Je l'ai remis à la banque à onze heures et demie. L'argent est déjà à notre disposition. Restez à l'hôtel, miss Lorimer, je viens tout de suite.

Sentant ses forces l'abandonner, Catherine laissa choir l'écouteur. Un lourd sanglot lui souleva la gorge et elle roula sur le divan. La lumière s'obscurcit autour d'elle, et ce fut la nuit. Pour la première fois de sa vie, Catherine s'était évanouie.

XVI

Le jour se leva, clair et froid, sous l'immensité du ciel bleu. Le soleil illuminait la ville. Catherine, dont l'agitation avait fait place à un sentiment de profonde et sereine gratitude, était assise dans sa chambre et écrivait à Londres. Elle avait déjà télégraphié la bonne nouvelle à Walters en lui indiquant les dispositions à prendre avec la banque, et elle voulait également tout raconter à sa mère.

Elle avait à peine terminé lorsqu'on frappa à la porte. C'était un télégramme. Elle l'ouvrit et lut :

Arrive lundi " Europa " stop Première Nancy mauvaise excuse stop Viens te chercher stop T'aime Charley

Ainsi Charley mettait sa menace à exécution? Son sourire s'adoucit tandis qu'elle posait le papier. Elle éprouvait une sorte de réconfort à penser qu'elle allait le revoir. Il était un ami fidèle et sûr! Il y avait, évidemment, ses folles espérances. Si jusqu'ici elle lui avait donné peu d'espoir, à plus forte raison ne lui en laisserait-elle maintenant plus aucun! Pourtant elle se rendait compte qu'elle trouverait toujours auprès de lui un refuge et un appui. Il était présent chaque fois qu'elle avait besoin d'aide. Ne serait-ce pas là une solution du problème que posait son amour pour Madden, la réponse facile à toutes ses angoisses?

Un moment, elle resta plongée dans sa songerie et son visage reprit une expression mélancolique. Puis elle se ressaisit, ferma et affranchit ses lettres, et les porta à la poste pneumatique. Revenue dans sa chambre, elle regarda par la fenêtre. Le temps était d'une beauté irrésistible. Oh, la joie de sentir de nouveau la terre solide sous ses pieds! Mais, pour cela, il avait fallu un vrai miracle.

Ascher avait acheté la miniature. Évidemment, ce n'était pas pour lui, mais pour un client. Breuget soupçonnait que ce devait être Joe Sharp, le magnat de l'acier de Pittsburg, pour lequel Ascher travaillait habituellement. Précédemment, Sharp n'achetait que des œuvres de l'école préraphaélite, mais il pouvait avoir une lubie et s'intéresser maintenant à d'autres formes d'art. Qu'importait d'ailleurs la personnalité de l'acquéreur! Avec cet argent, Catherine avait retrouvé sa chance, et elle était profondément convaincue qu'elle ne la perdrait jamais plus.

Le téléphone sonna :

— M. Madden demande à vous voir, miss Lorimer. Peut-il monter?

Saisie d'étonnement, elle demeura immobile, et le sang reflua de ses joues vers son cœur. Elle sentait de nouveau ce martèlement qui faisait éclater sa poitrine et lui écrasait la gorge.

— Oui, réussit-elle à répondre. Faites-le monter.

Il était naturel qu'il fût revenu pour la première représentation de Nancy, mais le seul fait d'entendre prononcer son nom la plongeait dans un trouble fait de peur et de joie.

Il entra avec une hâte inaccoutumée, mais, pour une raison ou pour une autre, oublia de lui serrer la main. Debout à quelques pas d'elle, il la considéra avec une singulière insistance.

— Nancy est au théâtre, dit Catherine. Elle a beaucoup à faire et n'est presque jamais ici. Mais je vais l'appeler tout de suite.

— Non, ne le fais pas, répliqua-t-il. Je verrai Nancy plus tard.

Elle laissa tomber sa main qui déjà s'avançait vers le téléphone. Bien qu'il se comportât avec sa réserve habituelle, elle le sentait en proie à une surexcitation qui l'intimidait. En dépit de son inquiétude, elle se força à sourire.

— Quand es-tu arrivé?

— A l'instant même. J'ai passé toute la nuit en train. Il serrait les dents, mais sa voix avait un timbre étrangement indifférent.

— Catherine, j'aimerais te parler, si cela te convient.

Elle le regarda avec surprise. Son visage pâle et creusé d'ombres trahissait sous son masque raidi une profonde souffrance. Sa mise était encore plus négligée que de coutume, et il chiffonnait son chapeau entre ses mains. Brusquement, Catherine eut la conviction, qui l'avait déjà effleurée, qu'il avait des soucis d'affaires.

A maintes reprises, elle l'avait soupçonné de dépenser plus d'argent qu'il ne l'aurait dû; elle s'était récemment disputée avec Nancy à ce sujet. Il avait aussi des obligations à Graysville : sa mère, le train de maison et tout ce qui s'y rattachait. Et maintenant, après de longues et coûteuses vacances, il était rentré à Cleveland, et il avait sans doute retrouvé son usine en très mauvaise posture. Bien qu'il n'y eût pas de fondements à ces suppositions, elle s'expliquait ainsi le désarroi de Madden. Après les expériences toutes fraîches qu'elle venait de faire, elle se sentait pleine de compassion et éprouvait un tendre désir de l'aider; et, si possible, de le soulager de ses soucis. Elle saisit l'occasion.

— Écoute, dit-elle d'une voix aussi enjouée que possible, par une si belle journée, on ne peut vraiment pas rester enfermé. Je n'ai rien à faire. Si nous déjeunions ensemble?

— Déjeuner? répéta-t-il comme si c'était la dernière chose à laquelle il eût songé.

— Oui, déjeuner, répéta-t-elle avec décision. Nous pourrons ainsi causer tranquillement; si nous commençons, nous devons aller jusqu'au bout. Tu as l'air terriblement préoccupé. Une journée d'air frais te fera du bien, et Nancy ne sera pas là avant quatre heures. J'ai une idée. Nous allons remonter l'Hudson jusqu'à Bear Mountain Inn. Par ce temps, ce sera merveilleux!

Son visage s'illumina. Il répéta ses paroles.

— Ce sera merveilleux!

Il y eut une pause durant laquelle il sembla revenir à la réalité.

— Je vais m'occuper d'une voiture, ajouta-t-il.

— Non, répliqua-t-elle avec décision. C'est mon affaire. Si tu crois pouvoir continuer à jeter l'argent par les fenêtres, tu es dans l'erreur.

Elle téléphona au bureau, commanda une voiture, et dix minutes plus tard, confortablement enroulés dans des couvertures au fond d'une longue limousine, ils filaient à travers les rues encombrées, franchissaient le pont George-Washington et atteignaient la rive gauche du fleuve. Les faubourgs une fois passés, ils foncèrent à travers les campagnes, le long de l'Hudson dont les eaux mugissantes étaient grossies par la fonte des neiges. De l'autre côté s'élevaient des collines neigeuses couvertes de sapins rabougris. L'air était pur et glacé, la route dure comme de la pierre, et une vive clarté baignait toutes choses.

Catherine comprenait à peine comment l'idée de cette escapade lui était venue. Peut-être était-ce le secret désir de retrouver l'atmosphère de Vermont. Son cœur débordait de joie. En tout cas, il était impossible de se soustraire au charme qui émanait du paysage. D'un mouvement rapide et tout empreint de bonne camaraderie, elle se tourna vers Madden et lui demanda sur un ton qu'elle s'efforça de rendre aussi léger que possible :

— Tu ne regrettes pas d'être venu?

— Non, répondit-il sans la regarder, je suis très heureux.

Elle sourit, et comme elle ne pouvait s'empêcher d'établir une comparaison entre cette journée et celle de la veille, elle lui décrivit sa course désespérée et l'heureux dénouement de l'aventure.

— Ainsi, tu as vendu le tableau? dit-il lorsqu'elle eut terminé. J'en suis bien content.

— Oui, maintenant, je suis riche, répliqua-t-elle, et c'est le bon moment pour m'emprunter de l'argent.

Il ne releva pas cette remarque qui pourtant aurait dû l'inciter à parler de ses propres affaires. Sans même tenter de renouer la conversation, il s'enfonça dans son silence. La tête un peu penchée en avant, il semblait absorbé par une méditation profonde et sans but.

Soudain, une paroi de rochers se dressa devant eux, mais, par une brèche qui semblait avoir été ouverte par le poing d'un géant, leurs yeux découvrirent un paysage aux douces ondulations, où courait le fleuve. Ils abandonnèrent alors le bord de l'eau, prirent un chemin privé, tournèrent le pied de Moutain Bear et arrivèrent devant un restaurant. A cet endroit, la neige était plus épaisse, et sur les pentes les moins inclinées, des jeunes gens s'ébattaient sur leurs skis.

Catherine et Madden descendirent de voiture. La neige grinçait sous leurs pas. Un vieux portier en bonnet et en gros gants de fourrure leur fit traverser le vestibule et gravir un large escalier, dont les parois étaient décorées de boîtes vitrées contenant des papillons exotiques. Ils pénétrèrent dans la salle à manger. Revêtue de boiseries, ornée de trophées de chasse, elle était confortablement installée. Dans une cheminée en demi-cercle, flambait un feu d'énormes bûches.

La dernière fois que Catherine était venue, c'était en plein été, et la pièce regorgeait de promeneurs et d'automobilistes. Le décor, d'une simplicité rustique, lui plaisait beaucoup mieux ainsi. Ils en disposaient pour eux seuls, probablement parce qu'il était déjà deux heures passées. Ils s'assirent devant une fenêtre, près de l'âtre, avec en face d'eux le magnifique panorama des montagnes.

Le repas fut simple, mais succulent. Madden n'avait pas grand appétit. Il ne parlait guère, mais se montrait très empressé auprès de Catherine, et son regard investigateur et profond ne la quittait pas. Sous ces yeux qui la fixaient, elle se sentait gagnée par une vague faiblesse. Après un silence particulièrement prolongé, elle lui dit avec un sourire forcé :

— Nous avions à discuter, n'est-ce pas?

— Oui, acquiesça-t-il lentement. Ou du moins, je t'avais priée de m'entendre, car j'ai quelque chose à te dire Catherine.

Elle baissa les yeux. Il prononçait son nom sur un ton qui lui bouleversait le cœur. Comme elle serait heureuse de pouvoir l'aider, et, n'importe comment, de lui faciliter les choses!

— Tu as des soucis, glissa-t-elle précipitamment, mais tu dois savoir que tu peux compter sur moi.

Puis, après une pause, elle ajouta :

— S'agit-il d'affaires d'argent?

Une expression d'ahurissement apparut sur son visage. Il la considéra et secoua lentement la tête.

— Comment cette idée a-t-elle pu te venir, Catherine? De l'argent, j'en ai bien assez.

Son assurance tranquille était plus convaincante que toutes les protestations. Il n'y avait pas de doute. Effrayée, elle s'aperçut qu'elle avait fait fausse route. Mais qu'avait-il alors? Elle trembla; elle ne pouvait plus le regarder en face.

D'une voix calme, comme un homme qui affirme une vérité incontestable, il dit :

— C'est quelque chose de plus important, Catherine, de beaucoup, beaucoup plus important. Je t'aime!

Elle était complètement immobile sur sa chaise. Dans ses artères son sang se mit à rouler à flots pressés, comme un torrent sauvage. Son corps s'était détendu à la chaleur du feu, et un sentiment de bien-être lui traversait les membres.

— Je croyais que j'aimais Nancy, poursuivit-il de la même voix contenue et basse, mais c'était de l'imagination, l'effet d'un joli visage après tant d'années de dur labeur. La jeunesse, la Méditerranée et tout le décor. J'en suis sûr, maintenant. Je ne le savais pas avant de te rencontrer. C'est le grand amour qui ne vient qu'une fois dans la vie. Je n'ai jamais pensé que cela pût exister. Depuis des jours, j'essaie de lutter. Mais cela n'a pas de sens. Je n'y puis rien, absolument rien. Que tu le saches, au moins : je t'aime, Catherine, oui, je t'aime.

Ne pouvant en supporter davantage, elle détourna son visage.

— Non, dit-elle, d'une voix enjouée, ce n'est pas vrai.

— C'est vrai.

— Cela ne peut pas être, c'est impossible!

Elle avait les larmes aux yeux. Comme aveugle, elle se leva et s'appuya à la fenêtre.

— Pardonne-moi, Catherine. Il fallait que je te le dise. J'ai essayé de me taire, mais je n'ai pas pu.

Madden se leva à son tour, vint à elle, et se tint dans une attitude de supplication muette. Dehors il avait recommencé à neiger. D'épais flocons passaient derrière les vitres comme des ombres claires; et c'était, dans le paysage, la seule note vivante. La nature entière était figée dans une immobilité totale; les arbres avaient l'air de sentinelles en fourrures blanches. Le ciel était d'un jaune de safran, et sous sa coupole infinie, la terre gisait, blanche et brillante. Ce calme et cette beauté portèrent le dernier coup au cœur de Catherine. Elle se prit les tempes dans les mains; elle se sentait vaincue et sans force.

— Laisse-moi seule, chuchota-t-elle, je t'en prie, laisse-moi seule.

Le silence retomba, un silence profond et torturant. Les flocons s'envolaient plus vite, comme de minuscules oiseaux blancs emportés dans l'espace.

— Je comprends, proféra-t-il enfin d'une voix lourde, tu ne m'aimes pas.

Alors, la dernière résistance de Catherine se brisa. Son cœur battait si fort dans sa poitrine que toutes ses pensées s'embrouillaient. Un frisson de tendresse la parcourut toute, et refoulant un sanglot, elle se tourna vers lui :

— Chris, tu le sais bien, que je t'aime de toute mon âme...

Elle se trouva dans ses bras, ses lèvres livrées aux siennes, ses joues ruisselantes de larmes. Durant de longues secondes, elle l'étreignit. Un bonheur indicible, tel que son cœur ne le pouvait contenir tout entier, la submergeait. Puis, poussant un cri, d'un seul élan elle se dégagea.

— Chris! Il ne faut pas! C'est impossible! Nous devons penser à Nancy.

Encore plus pâle qu'elle, il saisit ses mains comme s'il ne voulait jamais plus la lâcher.

— Nous devons aussi penser à nous-mêmes. Nous nous aimons. Rien d'autre ne compte.

Elle avait retrouvé sa lucidité. Elle était bouleversée jusqu'au plus profond de son être, mais elle luttait désespérément pour arriver à se contenir.

— Si, Chris, il y a autre chose. Nancy t'aime. A cela nous ne pouvons rien. Jamais, jamais, jamais! Tu as des devoirs envers elle et moi aussi.

Il serra les dents et, de toutes ses forces, voulut résister.

— Catherine, mon aimée, écoute-moi! Tu m'aimes, tu m'appartiens...

— Je t'écoute, Chris! répondit-elle. Mais il faudrait d'abord que tu puisses m'appartenir, et tu appartiens à Nancy. Tu sais ce que je suis pour elle. Je ne puis pas lui faire de mal. Jamais de la vie! Et toi non plus, tu ne peux pas.

Il ne répondit pas; ses traits étaient ravagés par la souffrance. Il la regarda dans les yeux, mais elle soutint son regard, et il baissa les paupières. Au-dehors, la neige qui tombait toujours s'entassait doucement contre les vitres.

Avec un sanglot étouffé, Catherine se mit à ranger son sac pour partir. Il y avait dans ses mouvements quelque chose de définitif, qui l'atterra. Il était si près d'elle qu'il pouvait respirer le parfum de ses cheveux. Retenant son souffle, il dit d'une voix brisée :

— Je savais que ce serait ainsi, Catherine, dès la première minute où je t'ai vue. Mais, au moins, de savoir ce que tu éprouves pour moi, ma peine est moins lourde.

Elle ne répliqua pas et le regarda seulement. Il se sentit comme inondé par la sérieuse beauté de ses yeux, mais la tendre angoisse qu'il y lisait aussi lui imposa silence. Son cœur devint de glace dans sa poitrine, et il la suivit.

XVII

La rentrée à New York fut une silencieuse torture. Madden se taisait et se raidissait dans son coin; Catherine regardait fixement par la portière. Son visage était pâle et marqué de cernes sombres, et elle pressait son menton sur son col de fourrure. Comment elle parvint jusqu'à sa chambre sans s'effondrer, elle n'y comprit rien.

Il était cinq heures. Nancy était revenue du théâtre et avait amené Bertram, Paula Brent et John Sidney. Les cocktails circulaient, et Nancy, qui était en train de vider gaiement son deuxième verre, fut ravie de revoir Madden.

— Hello! chéri, s'écria-t-elle avec enjouement. Je ne t'attendais pas avant demain matin. Comme c'est gentil! Viens que je te donne un bon baiser!

Dans son excitation, Nancy n'avait pas remarqué la douloureuse hésitation de Madden lorsqu'il avait franchi la porte. Elle ne se douta pas non plus de la lutte pénible qui se livrait en lui tandis qu'il s'approchait d'elle. Elle courut à sa rencontre, se pendit à son cou et appliqua ses lèvres sur les siennes.

— C'est si bon de te revoir, soupira-t-elle avec satisfaction. J'ai eu une journée si fatigante! Bertram nous traite comme des chiens, et j'avais besoin de te sentir près de moi.

Ses joues étaient roses et ses yeux rayonnaient. Elle l'attira à elle et le considéra avec un rire heureux. Catherine avait détourné les yeux; elle était encore pâle, mais s'était ressaisie. Seul le tremblement de ses lèvres trahissait encore son tourment.

Paula Brent, étendue sur une chaise longue, dans une attitude pittoresque, examina avec surprise les deux arrivants.

— Mais d'où venez-vous donc? Vous avez l'air tout gelés, comme si vous descendiez de la haute montagne!

Catherine sentit tous les regards converger sur elle.

— C'est bien ça, dit-elle posément en retirant ses gants, nous sommes allés dans les montagnes. Nous nous sommes assis là-haut, au-dessus de l'Hudson. C'était magnifique, par cette neige.

— Dans les montagnes de l'Hudson? répéta Sidney incrédule.

C'était un jeune homme fade et nonchalant, aux cheveux ondulés, vêtu avec élégance.

— Grand Dieu! s'exclama-t-il encore avec un petit air supérieur.

— Mais non, je trouve ça très intéressant, rétorqua Paula. Avez-vous vu des avalanches? John, donne-moi une cigarette.

Catherine rougit imperceptiblement. Bertram, lui aussi, l'observait. Mais, d'un air d'assurance tranquille, elle s'approcha de Nancy et s'assit près d'elle.

— Alors, tu as eu une journée pénible?

Nancy brandit un verre vide :

— Simplement effroyable pour nous tous, s'écria-t-elle avec exaltation. Dieu soit loué! nous commençons lundi. Bertie nous mène comme des animaux de cirque. Je l'ai déjà dit, pas vrai? Jumbo, saute! Avec moi à travers les cerceaux, ou gare à la cravache! Mais je suis bien heureuse que Chris soit de retour. Nous allons sortir tous ensemble, n'est-ce pas, et passer une bonne soirée. Ce sera merveilleux. Prends un cocktail, Catherine!

Catherine refusa. Après l'air pur et glacé de la montagne, cette atmosphère surchauffée et enfumée la rendait presque malade. Elle vit que Madden ne buvait rien non plus. Elle se tourna alors vers Bertram :

— Êtes-vous content des répétitions?

Il rit, étendit les jambes, et, d'un air impénétrable, contempla la pointe de ses souliers.

— Est-ce que je suis jamais content, moi? Mais il y a une chose que je puis vous dire, c'est que cette impertinente nièce n'est pas dénuée de talent.

Nancy lui fit une grimace.

— Un compliment de l'arbitre! Jumbo, saute! Que quelqu'un fasse marcher la radio. Ensuite nous partons en bande et nous allons faire la bombe.

Le jeune Sidney déclencha le haut-parleur, et Nancy lâcha Madden pour se farder les lèvres. D'un trait précis et minutieux, elle étendit le rouge, qui s'harmonisait exactement avec l'émail écarlate de ses ongles.

Une fois de plus, Catherine admira le charme et la vie qui émanaient de son visage. Les sourcils étaient peut-être un peu trop épilés et la bouche soulignée de façon un peu fantaisiste; mais le front était intelligent et les yeux remarquables par leur beauté. Bien que ses mouvements fussent calculés, Catherine ne voulait retenir que ce qui restait en eux de grâce spontanée et de jeunesse. Elle frissonna légèrement. Non, jamais, elle était incapable de lui faire du mal... Nancy pouvait avoir ses défauts, être égoïste, froide et trop précoce; mais elle était encore une enfant. Elle prendrait de la maturité, et ses qualités profondes s'épanouiraient. Son mariage avec Madden lui ouvrirait de nouveaux horizons; et surtout, elle se ferait alors une tout autre conception de la vie.

— Qu'en dites-vous? Et venez-vous? demanda Nancy. Nous pourrions dîner au *Rainbow*, puis aller entendre les nouveaux chanteurs tyroliens?

Madden prit une expression impénétrable. Avec effort, il dit :

— Je ne crois pas que j'ai envie de sortir encore ce soir, Nancy.

— Il me semble, jeta Paula par-dessus son épaule, que les montagnards sont un peu fatigués!

— Mais, chéri! protesta Nancy avec un air boudeur, tu

ne feras pourtant pas ça à ta petite mémère! Le bébé en sucre va être bien gentil avec sa petite mémère!

Bertram lui-même partit d'un éclat de rire. Il était vraiment comique de voir Nancy parodier ainsi la minauderie des Américaines. Seul Madden, qui regardait songeusement le parquet, ne s'associa pas à cet accès d'hilarité. Il sentait le regard de Catherine peser sur lui. Enfin il fit un signe d'assentiment, et se leva.

— C'est bon, Nancy, je viens.

Ils se disposèrent à partir. Nancy prit le bras de Madden, Sidney lampa rapidement un dernier cocktail, et Bertram aida Paula à enfiler son manteau. Mais Catherine, qui avait prétexté une migraine, ne les suivit pas. Elle désirait que Madden et Nancy pussent être seuls. Elle supplia le Ciel pour que tout s'arrangeât entre eux, et c'est du fond du cœur que partit sa prière.

XVIII

Le matin suivant, Catherine avait un rendez-vous d'affaires à Riverside Drive avec une Mrs. Van Beuren qui, d'après ce que lui avait dit Breuget, avait manifesté de l'intérêt pour ses tapisseries de Beauvais. En réalité, ces tapisseries ne lui appartenaient pas, mais lui avaient été confiées par la maison Richet et Cie, à Paris. Si elle les vendait bien, elle toucherait une commission importante.

Grâce à cette maîtrise d'elle-même qui était l'un des traits dominants de son caractère, Catherine avait retrouvé toute son aisance. Elle revêtit un costume tailleur, et, à neuf heures et demie, elle se mettait en route pour son bureau. Breuget, qui plus encore qu'à l'ordinaire brillait comme un sou neuf, l'attendait déjà. Il bondit à sa rencontre.

— J'ai tout bien emballé, miss Lorimer. Nous pouvons prendre le paquet tout de suite.

— Bien.

Il riait en se frottant les mains.

— N'avais-je pas dit, dès le premier jour, que nous allions remonter la pente? Nous vendrons les tapisseries. Nous ferons, cette année, d'excellentes affaires...

Il fit un petit signe de tête plein de promesses, partit en avant, héla un taxi, installa soigneusement Catherine, amarra le précieux paquet et monta lui-même.

— C'est étrange, miss Lorimer, dit-il après s'être assis confortablement, j'ai soumis Ascher à un cuisinage en règle, mais je ne puis rien tirer de lui au sujet de l'acheteur de la miniature.

— Est-ce que ça joue un rôle? demanda-t-elle distraitement.

— Mon Dieu, non, puisque nous sommes hors d'affaire. Mais c'est quand même curieux. Pensez donc : une œuvre aussi célèbre et, pff! elle disparaît du marché.

— Ne disiez-vous pas que ce devait être Sharp?

— Non, ce n'était pas lui. Ça, je le sais. Sharp reste fidèle à ses Préraphaélites.

— Peut-être Ascher l'a-t-il gardée pour lui?

— Non, il m'a certifié qu'il l'avait déjà remise à son client.

— Oui, reprit Catherine avec un soupir, c'est étrange... Mais ne nous cassons pas la tête. La page est tournée. Pensons à nos projets.

Arrivés à Riverside, ils se trouvèrent devant une maison couverte de tuiles, aux fenêtres encadrées de faïence et à la belle grille de fer forgé, dont l'aspect témoignait que cette résidence jadis célèbre avait gardé des traces de son ancienne splendeur. Mrs. Van Beuren s'était prise de passion pour les tapisseries, mais ne savait pas où les mettre. Elle avait déjà trop de tableaux aux parois de sa salle à manger, et les tapisseries ne s'harmonisaient pas avec le salon du premier. Catherine parlait peu. Elle suivait Mrs. Van Beuren à travers la maison et l'écoutait avec attention. Mais, au premier coup d'œil, elle avait reconnu que le hall d'entrée constituerait un cadre idéal.

— Êtes-vous tout à fait contente de votre hall? demanda-t-elle en redescendant au rez-de-chaussée.

— A vrai dire, non.

Mrs. Van Beuren regarda autour d'elle d'un air de doute.

— Je trouve qu'il manque de proportion.

— Alors, laissez-moi tenter une expérience. On pourrait en faire la plus belle pièce de la maison.

Avec l'aide de Breuget et d'un domestique, elle décrocha une série de gravures assez ennuyeuses qui décoraient la paroi principale et installa à la place une tapisserie représentant une scène de chasse. Poussant au-dessous un bahut italien qui était à demi caché dans un coin, elle plaça aux deux bouts deux hauts chandeliers de stuc qu'elle découvrit dans le salon encombré, et disposa au milieu un plateau rectangulaire en argent repoussé.

La métamorphose était étonnante. Le hall avait un tout autre aspect et Breuget lui-même applaudit chaleureusement en hochant la tête. Mais la petite dame, dans son enthousiasme, n'arrêtait pas de piailler.

— Surtout, n'y touchez plus! criait-elle. Pas d'un millimètre! Il faut que ça reste ainsi, exactement ainsi!

— Oui, mais en face, sur l'autre paroi, il manque un long miroir biseauté, à cadre étroit, dit Catherine. Nous en avons un exemplaire magnifique du temps de George Ier, qui ferait très bien l'affaire.

— Oui, oui, murmura Mrs. Van Beuren, je viendrai tout de suite demain pour le voir.

Sur le chemin du retour, Breuget se mit à pouffer, puis se tournant respectueusement vers Catherine :

— N'avais-je pas raison? La pente est remontée et nous arrivons au sommet. Je l'avais senti dans mes vieux os!

Le sommet... Hélas, quelle signification ce mot pouvait-il encore avoir pour Catherine? Sur un prétexte, elle se fit déposer à la 57me Rue et regagna l'hôtel à pied. Elle s'était souvenue tout à coup qu'Upton allait débarquer le jour même, et qu'elle devrait aller l'attendre. Mais à quelle heure l'*Europa* aborderait-il?

En entrant dans sa chambre, sa première pensée fut que Charley devait être arrivé, car un long carton de fleuriste reposait sur la table. Mais lorsqu'elle l'ouvrit, elle sut aussitôt qu'elle s'était méprise. C'était un magnifique bouquet d'œillets. Chaque fleur était d'une fraîcheur virginale, exhalait un doux parfum, et son aspect était un baume pour les yeux. Le bouquet venait de Madden. Alors la souffrance se ralluma dans le cœur de Catherine. Les yeux mi-clos, elle pressa doucement sa joue contre les tendres corolles. Leur beauté lui était intolérable, tant ces fleurs lui semblaient enfermer toute la tristesse de son bonheur perdu. Elle resta ainsi longtemps; et, comme elle levait les yeux, son regard rencontra le miroir fixé à la paroi. La vision qui s'offrit à sa vue la frappa de stupeur. Elle avait devant elle, comme évoquant un lointain passé, l'image même de la miniature, enrichie de toute son histoire. " La Dame aux œillets... ", pensa-t-elle tristement. C'était bien là son destin.

Ni une carte, ni un mot n'accompagnaient le bouquet. Elle savait donc que Madden allait l'appeler au téléphone; et presque au même moment, la sonnerie se fit entendre. La voix était basse et morne.

— Il faut que je te voie, Catherine..., dit-il, il faut que je te voie sans retard.

Catherine réfléchit rapidement. Fortifiée par les événements des dernières heures, elle avait irrévocablement arrêté sa décision. Mais il était clair qu'elle devait lui accorder une dernière entrevue, ne fût-ce que pour lui signifier sa détermination. Sa défaillance était passée. Elle saurait maintenant être forte, et ne pas perdre de vue le but qu'elle s'était fixé. Ne voulant pas déjeuner avec lui, elle chercha un lieu de rendez-vous à lui proposer. Tout à coup, elle songea au Metropolitan Museum. Ce cadre conviendrait parfaitement.

A deux heures et quart, elle franchit la porte du musée. Madden l'attendait déjà et faisait les cent pas dans le vestibule, devant le tourniquet. Il lui tendit la main en silence. Mais si elle s'était imaginé que leur conversation se déroulerait dans ce vaste local balayé de courants d'air, sous l'œil des statues majestueuses qui les contemplaient de haut en bas, elle s'était trompée. Il la conduisit dans une aile éloignée où étaient exposés des meubles de la première période de l'histoire des États-Unis. Il l'entraîna ensuite dans une pièce lambrissée provenant de la côte du Maine et, là, il s'arrêta et la regarda. Elle mesura alors la profondeur de sa souffrance. Sa vivacité de la veille avait disparu. Il semblait épuisé et l'on percevait dans sa voix une étrange lassitude.

— Catherine, il fallait que je te voie! Hier, nous n'avons pas pu causer. Tu as pris ta décision dans un moment d'exaltation. Peut-être as-tu mieux réfléchi. Catherine, nous ne pouvons pas vivre l'un sans l'autre. Te voir est pour moi un bonheur indicible. J'ai passé toute la nuit sans dormir, à penser à toi. Il n'y a qu'une solution : il faut que nous partions ensemble.

Elle comprit aussitôt que ce serait très dur, infiniment plus dur qu'elle ne l'avait pensé, et elle puisa au plus profond de son être le courage de résister.

— S'enfuir, demanda-t-elle avec dans les yeux un pâle reflet de son ancien sourire, comme deux enfants? J'ai une autre façon de concevoir les choses, Chris. Nous sommes au-dessus de ça, il me semble.

— Il faut agir, dit-il d'une voix rauque. Nous ne pouvons pas briser nos deux vies.

Au prix d'un effort extrême, elle parvint à prendre un ton apparemment détaché.

— C'est ce que nous ferions si nous prenions la fuite. Nous nous jugerions nous-mêmes lamentables et lâches.

— Mais pourquoi, Catherine?

— Oublies-tu Nancy?

— Je ne l'oublie pas. Mais ce n'est pas la même chose; sa vie ne dépend pas de la mienne. Nancy appartient à une autre génération, plus dure et plus froide. Ne l'as-tu pas remarqué hier soir quand nous sommes rentrés? Et à Vermont? Les autres l'ont bien constaté, même s'ils ne disaient rien. Elle refera son existence plus facilement que nous, et elle aura moins de peine à oublier.

Catherine secoua la tête.

— Elle t'aime. Non, Chris! nous ne pouvons pas la faire souffrir, la rejeter pour être nous-mêmes heureux. Nous ne pouvons pas non plus nous déshonorer à nos propres yeux. Si, comme tu dis, nous avons réellement une conception profonde de l'honneur et de la fidélité, nous ne devons pas la trahir. Ne vois-tu pas, Chris, qu'il y a une chose qui prime toutes les autres, c'est la droiture?

— Pas *toutes* les autres!

Emporté par l'émotion, il lui saisit la main et la pressa contre sa joue.

— Non, Chris, non! dit-elle aussitôt.

Il la lâcha, demeura haletant, les mains lourdement posées sur une table, le visage dérobé comme s'il ne pouvait pas supporter de la regarder en face.

— Pourquoi agis-tu ainsi? dit-elle d'une voix sourde. Tu nous rends le devoir plus dur encore!

Pris d'un vertige de passion, il la contempla longuement; mais elle parvint à se cuirasser contre le désir sauvage qu'elle lisait dans ses yeux. Elle sentait qu'elle avait l'obligation de résister, il le fallait absolument; sinon, ils étaient perdus.

Un lent et lourd silence se fit entre eux. Madden se tenait debout devant elle, blanc comme un mort, et scrutait son visage. Il lut dans ses yeux une résolution inébranlable. Fixement, comme un aveugle, il regarda par la fenêtre. Des minutes passèrent. Enfin, il parla.

— Oui, Catherine. Si telle est ta pensée, je n'ai plus rien à dire. Je te ramène chez toi.

XIX

Ce même après-midi, Nancy arriva à trois heures et demie à l'hôtel. Elle ne s'attendait pas à être libre avant cinq heures, car Bertram avait décidé qu'il y aurait encore une répétition générale avant la première. Elle avait annoncé à Catherine qu'elle ne serait pas de retour avant l'heure du thé. Mais elle n'avait pas prévu que Bertram changerait d'avis et renverrait toute la troupe avec l'ordre formel de se reposer, afin que tout le monde se retrouvât frais et dispos à huit heures.

Nancy rentra donc docilement pour se coucher. Désirant s'étendre tout de suite, elle évita de passer par le salon, et pénétra dans sa chambre par la porte latérale. Elle n'avait pas fait de bruit. Elle était entièrement plongée dans ses pensées et ne songeait qu'à sa prochaine entrée en scène. Soudain, elle entendit parler. Surprise, elle resta plantée au milieu de la pièce. Elle reconnaissait avec stupeur les voix de Catherine et de Madden. Elle changea de visage. On percevait distinctement les moindres mots. Catherine et Madden venaient évidemment de rentrer et se disaient adieu. Un étrange adieu, plein de réserve et pourtant sombrement éloquent; chaque parole atteignait Nancy comme un coup de massue. Elle demeura figée sur place, puis elle comprit que Madden s'en allait. Cinq minutes plus tard, Catherine sortait aussi.

Un cri qui était à la fois un sanglot et une enfantine exclamation d'horreur jaillit de la gorge de Nancy. Tout étourdie, elle pénétra dans le salon. Elle était incapable de penser :

seules les quelques phrases qu'elle venait de surprendre occupaient son esprit. Elle promenait sur les choses un regard perdu. Ainsi, Chris aimait Catherine. Oui, Chris, qu'elle devait épouser le samedi suivant, aimait Catherine. Une vague de colère la traversa, qui fit place ensuite à une froideur mortelle. Se jetant sur le sofa, elle se mordit la lèvre. Elle comprenait ce qui s'était passé comme si elle y avait assisté. Catherine et Madden s'efforçaient tous deux de ménager son bonheur! Sa fierté se cabra. Elle se sentait impuissante et bafouée, elle si pleine de confiance et d'assurance. Oui, toute sa vie, ce fut ainsi, elle acceptait tous les dons comme s'ils lui étaient dus, elle trouvait cela naturel! En une révélation foudroyante, elle découvrait maintenant qui elle était, et où elle en était. Elle éclata en sanglots. Elle ne savait pas depuis combien de temps elle était là étendue, à pleurer. Elle s'allongea sur le dos. Ses yeux avaient pris une expression étrangère, son corps vigoureux et charmant gisait dans un total abandon. Elle n'était pas en état de réfléchir avec suite, mais il lui semblait que sa sensibilité avait gagné en acuité et en profondeur. Il avait suffi de ces minutes intenses pour qu'elle dépouillât son enveloppe enfantine. Brusquement elle avait cessé d'être une petite créature superficielle, et elle avait atteint la pleine conscience d'elle-même. Autour d'elle, les contours de la pièce s'estompaient. Immobile, elle suivait dans leur course les taches de soleil qui jouaient sur la paroi; mais constamment, des retours de souffrance paralysaient l'effort de sa pensée. Elle avait l'obscure intuition d'un lent travail de dissolution qui s'opérait en elle, d'une sorte de renaissance intérieure où son esprit s'épanouissait comme une lumière, et qui lui apportait une chaleur nouvelle.

Elle soupira profondément, se redressa et regarda sa montre. Il était presque cinq heures. Elle sonna pour le thé, elle en but une tasse, alluma une cigarette. Peu après, la porte s'ouvrit et Catherine entra.

— Quoi, s'écria-t-elle en jetant son chapeau sur la table, tu es déjà là?

Nancy fit signe que oui.

— J'arrive à l'instant. Prends une tasse de thé avec moi.

Elle parlait avec un calme extraordinaire. Elle versa le thé, écouta Catherine qui lui racontait l'arrivée de l'*Europa*. Upton était d'excellente humeur, et se réjouissait beaucoup d'assister à la première.

Elles se turent, puis Catherine demanda avec un faible sourire :

— Comment te sens-tu pour ce soir?

Nancy regarda le plafond.

— Très bien. Pourquoi?

Catherine reposa sa tasse.

— Oh! je ne sais pas. Je craignais que tu ne fusses énervée. Je me proposais de t'être utile d'une façon ou d'une autre.

Il y eut une pause. Nancy écrasa sa cigarette dans le cendrier sans détourner la tête.

— Je n'ai pas besoin d'être remontée par des liqueurs et des gâteaux, remarqua-t-elle avec un mystérieux sourire. C'était bon à l'âge des crinolines, comme le trac, les évanouissements et les crises de larmes.

Elle s'interrompit.

— Ça ira, je l'espère. Je n'éprouve pas le besoin d'en dire plus.

L'attitude distante de Nancy surprit Catherine. Elle s'attendait à ce que celle-ci manifestât avant la première une certaine fébrilité. Or la jeune fille paraissait au contraire extraordinairement calme, indifférente même.

Catherine n'en tira d'autre conclusion, que la certitude où Nancy était de son bonheur. Au demeurant, elle s'inquiétait assez peu du succès ou de l'insuccès de la pièce. Cela n'avait pour elle que peu d'importance. Par affection pour Nancy, elle devait assister à la représentation, mais elle était bien résolue à quitter ensuite, aussi vite que possible, les lieux où elle avait vécu son douloureux roman d'amour. Sa décision était irrévocable. Le *Pindaric* prenait la mer le dimanche suivant. Une fois à bord, cet épisode de déchirante folie serait définitivement clos. Elle était convaincue qu'une fois laissés à eux-mêmes, Nancy et Madden finiraient par s'entendre et par l'oublier.

Catherine s'habilla pour le soir. Elle avait pris rendez-vous avec Upton chez *Pierre* pour dîner. Sept heures sonnaient justement. Il était temps qu'elle partît. Elle donna un cordial baiser à Nancy et lui souhaita bonne chance. La tranquillité de la jeune fille la frappa de nouveau. " Elle est nerveuse, se dit-elle avec commisération, et elle essaie de le cacher. "

Le dîner avait lieu en petit comité : le colonel Ogden, sa femme, une Mrs. Moran, enfin Charley et Catherine. Elle avait exprimé le vœu qu'il n'y eût pas trop de monde, car elle savait que Charley, qui comptait autant d'amis à Manhattan qu'à Mayfair, en aurait volontiers convoqué une vingtaine. En dépit de la douleur qui lui tenaillait le cœur, le repas parfaitement servi, la bonne chère et les vins excellents, et surtout l'agréable compagnie, eurent sur Catherine une influence apaisante. Les Ogden étaient des gens importants, le mari étant considéré comme l'un des premiers banquiers de New York; et Mrs. Moran, une femme mince, brune et intelligente, était l'épouse ou, comme elle disait, la " veuve de polo " de Ralph Moran, l'une des étoiles de ce sport. Catherine soupçonnait Charley d'avoir eu naguère avec Mrs. Moran une liaison qui, avec le temps, avait pris la forme d'une tendre amitié.

Ce soir-là, Charley se surpassa. Par ses bavardages et ses anecdotes, il tint la table entière en haleine. Sans cesse il se versait du champagne. Au dessert, son rire eut quelque chose d'étrange. Il bredouilla légèrement; mais, chez lui, cela ne choquait pas, cela s'accordait au contraire avec sa bonhomie naturelle. Après une conférence avec le sommelier, il insista pour offrir une bouteille d'un Tokay très rare. Ce vin doré, parfumé, capiteux donna le dernier coup à Catherine. Au moment de partir, elle sentit qu'elle devait à une ivresse légère l'oubli momentané de ses soucis. C'était une sensation très agréable.

A leur arrivée au théâtre, la salle était déjà presque pleine, et une invraisemblable cohue s'agitait au foyer. Grâce à sa réputation internationale et à ses relations, Bertram avait, même à New York, un immense public. Il ne pouvait pas compter sur lui, il est vrai, pour faire la claque — et même plus d'une fois, l'assistance ne s'était pas gênée pour lui témoigner sa vive désapprobation — mais il lui assurait, pour le soir de la première, la présence de nombreux amis plus portés à la sévérité qu'à l'indulgence.

De sa place, aux fauteuils d'orchestre, Catherine examina la salle et reconnut maints habitués célèbres. Soudain, tout vacilla devant ses yeux : au bout de la même rangée de fauteuils, Madden était assis tout près de Bertram. L'oppression qu'elle ressentit fut si forte qu'elle crut que son cœur s'arrêtait. Le sang cessa de couler dans ses veines, puis repartit en torrent, battant à coups redoublés dans ses tempes. Elle pencha la tête sur le programme qu'elle tenait d'une main tremblante pour faire croire qu'elle lisait. Il ne l'avait pas vue. Les lumières s'éteignirent et le bruit des conversations se tut. Soulagée, Catherine releva la tête et regarda la scène, qui représentait le salon d'une maison de campagne anglaise. Elle connaissait d'ailleurs la pièce.

Le personnage central était un homme d'affaires d'un certain âge, du nom de Renton, qui aimait passionnément sa femme. Celle-ci était incarnée par Paula Brent, qui en faisait une créature nonchalante et féline, encline aux aventures. Au début de la pièce, elle était justement engagée dans une expérience de ce genre, et le premier acte était principalement consacré à ses effusions et aux accès de jalousie de Renton.

Les acteurs étaient bons et les caractères bien rendus. Néanmoins, le public demeurait encore sur la réserve. Peut-être le rythme était-il un peu lent. Paula Brent, dans le rôle principal, avait beaucoup de style. Sa création était calquée sur la vie : une femme belle et paresseuse, indolente et déjà mûre, ayant une prédilection pour les déshabillés de soie et les lumières tamisées, se répandant en œillades langoureuses et en serrements de mains furtifs. Cependant, Paula n'avait rien de particulièrement original. Elle avait paru déjà bien des fois dans des situations analogues, et, à la chute du rideau, l'assistance ne manifesta qu'une approbation polie.

— Très bien, remarqua Upton avec satisfaction, mais nous n'avons pas encore vu Nancy.

Mrs. Ogden se pencha vers lui :

— En somme, c'est un désavantage de ne pas paraître dès le premier acte.

— Je ne sais pas, dit le mari d'un ton de doute. Je suis curieux de voir quel sera l'antidote de cette Brent. Elle est excellente, mais on a envie de la rouer de coups.

Le deuxième acte se déroulait dans le bureau de Renton quelques jours après. Nancy fit son entrée dans le rôle de Madge Rogers, la secrétaire de Renton. Lorsqu'elle parut sur la scène, Catherine eut un petit frisson de fierté. Elle s'était immédiatement rendu compte que le colonel Ogden avait raison. Le public attendait avec impatience, sinon Nancy, du moins l'artiste qui devait tenir tête à Mrs. Renton, ou selon le mot du colonel, lui servir d'antidote, et le développement du conflit. Dès les premières phrases, que Nancy prononça avec une nonchalante assurance, Catherine fut convaincue que jamais encore elle n'avait eu un meilleur rôle. En tout cas, la jeune fille était particulièrement douée pour incarner des caractères ultra-modernes; mais cette fois, le personnage était à sa mesure. De la petite secrétaire jolie et têtue, elle donnait une image si nette et si vraie que c'en était presque gênant. Comparée aux mièvreries de Mrs. Renton, la création prenait un relief saisissant.

Madge aimait Renton. Cet homme honorable et surmené lui racontait, dans un moment d'abattement, tous ses malheurs domestiques. Avec beaucoup de sang-froid, et même de l'audace, elle lui prouva qu'il s'y prenait mal avec sa femme, qu'il était trop tolérant. Il devait, lui expliquait-elle, se défendre avec plus d'énergie; et cela, en nouant une liaison avec une autre femme. Tel était le meilleur moyen de ramener son épouse à la raison. Par dévouement, elle s'offrait à jouer dans cette aventure le rôle de la partenaire.

— Ciel! chuchota Upton à Catherine, je n'aurais pas cru Nancy aussi émancipée.

Dès cette scène, le public commença à s'échauffer. La réserve du début avait disparu; une atmosphère de tension gagnait la salle. Catherine en était toute ravie. Elle savait que Nancy avait eu le pressentiment que ce rôle lui offrait les plus grandes chances; et sa chance, maintenant, elle la tenait. Elle fascinait ses auditeurs par sa dure assurance, sous laquelle transparaissait son amour égoïste pour Renton, par son ardente volonté de vaincre, grâce à sa beauté et à son habileté.

Catherine se cramponnait aux bras de son fauteuil. Jamais elle n'avait vu Nancy jouer aussi bien. Elle oublia tout ce qui l'entourait; et dans l'obscurité, son visage s'éclaira. De tout son cœur, elle souhaitait à Nancy le grand succès.

L'acte prenait fin sur la réponse de Renton qui, malheureux et fasciné, acceptait la proposition de la jeune femme. Aussitôt la salle éclata en applaudissements; ils allèrent en croissant jusqu'au moment où Nancy se présenta seule devant le rideau. Ce fut alors un grand brouhaha de conversations. Encore frémissants, les spectateurs se levaient. Sur toutes les lèvres volait une question qui frôlait comme une caresse l'oreille de Catherine.

— Qui est-ce?

Oui, c'était Nancy Sherwood, la découverte de Bertram. On se rappelait les reportages qui avaient annoncé l'arrivée de Nancy, à bord du *Pindaric*. Au foyer et dans les couloirs, le thème était repris et amplifié, accompagné des suppositions les plus fantaisistes. Bertram lui-même, dont le visage rayonnait, était assailli par des gens qui l'interrogeaient fiévreusement. Lorsque Catherine passa devant lui pour regagner sa place, il lui décocha par-dessus l'épaule un sourire complice.

— Ne l'avais-je pas dit?

Il ajouta d'un air confidentiel :

— Et tout cela pour une petite rage de dents...

A la fin de l'entracte, tout le monde se précipita à sa place.

— C'est follement captivant, déclara Charley, on n'a même pas le temps de fumer son cigare jusqu'au bout.

— Tant pis pour le cigare, s'écria Ogden, je veux savoir ce qui va se passer!

C'était là le vœu général : le public était figé dans une attitude de curiosité intense. Le rideau se leva au milieu d'un profond silence. On se trouvait dans une chambre de l'hôtel de la Plage à Littleton-on-Sea, où Renton était venu passer le week-end avec sa secrétaire. C'était l'été, et par la fenêtre ouverte, on voyait le ciel bleu et la mer. Quand Nancy parut, il y eut quelques applaudissements vite réprimés. Il était clair qu'elle avait conquis son public.

Elle portait un élégant costume de plage à larges rayures, et une attitude frivole marquait ses moindres gestes. Allumant une cigarette, elle s'étendit sur la chaise longue, et considéra d'un air satisfait ses pieds aux ongles laqués de rouge. Elle révéla alors à Renton, comme une chose toute naturelle, que sa femme avait décidé de divorcer. Renton avait peine à le croire. Mais elle ne plaisantait pas du tout. Elle savait dès le début que loin de le réconcilier avec sa femme, cette aventure lui fournirait le prétexte qu'elle cherchait pour obtenir la séparation désirée, avec tous les dédommagements moraux et financiers souhaitables. Et, de fait, Mrs. Renton entrait un instant plus tard dans la chambre.

La scène qui opposait ensuite les deux femmes, tandis que Renton demeurait effondré dans un coin, était l'une des plus émouvantes de la pièce. Il s'en dégageait une impression de violence rare. Dans les intentions de l'auteur, elle était écrite pour Mrs. Renton. D'après toutes les lois du théâtre, celle-ci devait être la figure dominante du drame. Mais toutes les lois du théâtre furent renversées. Emportée par une force mystérieuse, Nancy ne consentait pas à se laisser éclipser par le personnage principal. Chaque coup qu'elle recevait, elle le rendait avec sang-froid. Son texte ne la servait pas comme celui de sa rivale, mais elle savait l'utiliser de manière à forcer l'admiration des spectateurs. La signification du conflit qui était à l'origine de cette dispute se trouvait encore soulignée et élargie par le choc des caractères. Parmi le public qui écoutait haletant, la tension avait atteint un degré extrême.

— Bon Dieu, quel petit démon! chuchota quelqu'un derrière Catherine. Elle joue la pièce toute seule!

A sa sortie, Paula Brent ne recueillit que quelques faibles applaudissements. Tous les yeux demeuraient fixés sur Nancy. Maintenant que la femme était partie, elle usait de toute son influence pour faire accepter par le malheureux Renton la solution qu'elle avait froidement préméditée, qu'il l'épousât. Et passant dans la chambre voisine pour s'habiller, elle le laissait à son dilemme. D'où le titre de la pièce.

Renton découvrait enfin le piège tendu par Madge. Dès le début, elle avait résolu de se faire épouser. Dans son désarroi, il se rendait compte qu'il avait été la victime de ces deux femmes : l'épouse et la maîtresse. Elles avaient tissé le filet dans lequel il s'était laissé prendre. Au comble du désespoir, il empoignait un revolver et se logeait une balle dans la tête.

C'était le point culminant de la pièce, et c'en devait être le point final, mais le texte fut dépassé, Nancy revint en scène. Bertram avait prévu l'effet et habilement modifié le dénouement en conséquence. Nancy avait entendu le coup de feu. Elle portait encore son costume de plage et avançait lentement lorsqu'elle se heurta à Renton étendu sur le plancher. Il était mort. Alors se déroula une scène muette, qui éclipsa de loin les minutes précédentes et les relégua dans l'oubli.

Ce fut une scène contenue et émouvante, de la pure pantomime, mais où Nancy atteignit les plus hauts sommets de l'art dramatique. En présence du cadavre, elle dépouilla ses airs de supériorité facile. Elle s'agenouilla près de lui; son visage se transfigura, ses traits se fondirent sous la crispation de la douleur. Elle avait aimé cet homme, et il était mort. Cette révélation foudroyante anéantissait les illusions, les impostures et les duperies dont elle avait vécu. Fermant les yeux, elle lui prit la main et la porta à ses lèvres, d'un mouvement si tragique dans sa simplicité qu'il allait droit au cœur. Aucun mot ne sortit de ses lèvres jusqu'au moment où, avec un geste d'accablement, elle laissa retomber la main, saisit le téléphone et dit d'une voix brisée :

— Venez vite, s'il vous plaît, quelqu'un vient de se tuer!

C'était saisissant. Le rideau tomba au milieu d'un silence total. Une émotion inoubliable serrait la gorge des spectateurs; ils demeuraient sans voix. Puis un tonnerre d'applaudissements et de clameurs éclata, où revenait sans cesse le nom de Nancy. C'était le triomphe. Plusieurs représentants de la presse le proclamèrent aussitôt : pas seulement le très grand succès, mais la grosse sensation. Et cela valait d'énormes titres, ils s'y connaissaient!

Nancy revint devant le rideau, d'abord la main dans la main d'une Paula Brent pâle et un peu effacée, puis seule, portant dans ses bras une gerbe de fleurs. Toute saisie par ces manifestations d'enthousiasme, elle s'inclina. Enfin, le rideau retomba pour la dernière fois. Au foyer, les gens s'attardaient et gesticulaient. Il n'y avait plus de doute, c'était bien une sensation. Catherine, encore exaltée par le triomphe de Nancy, et pénétrée de l'impression tragique qui se dégageait de la dernière scène, se tourna vers Upton et les autres.

— Eh bien! qu'en dites-vous? demanda-t-elle d'une voix frémissante. N'était-ce pas fabuleux?

— Grand Dieu! dit Charley en se mouchant avec bruit, il faut y avoir assisté pour y croire. Je n'ai jamais vu Nancy aussi excellente.

— Elle est merveilleuse, s'écria Mrs. Ogden dont les yeux étaient encore humides, simplement merveilleuse!

Dans la foule qui se pressait vers la sortie, le nom de Nancy était sur toutes les lèvres. Catherine surprit un critique célèbre qui, coincé au milieu de la cohue, échangeait ses observations avec un collègue d'un autre journal, du ton maussade qui lui était coutumier.

— C'était bien, dit Grey. Qu'en pensez-vous, Sam?

— Possible, grogna Sam Izzard entre les dents. En tout cas, une sacrée petite gosse, et qui n'a peur de rien!

— Et la Brent?

— Couci-couça.

— Elle ne lui va pas à la cheville, hein?

— Peut-être.

— Mais la petite est bonne.

— Certes, mais voilà! Il y en a tant qui ont commencé ainsi, et qui se sont ensuite évanouies. Mais cette petite ne finira pas comme ça, ah non! Elle a quelque chose en elle. Et à cet âge! Elle tiendra ses promesses.

La foule s'écoula, entraînant les deux critiques. Mais leurs paroles restèrent gravées dans la mémoire de Catherine. Dans le couloir conduisant à la scène, elle se heurta à Madden, à Bertram et à plusieurs autres qui se rendaient dans les coulisses.

Elle regarda Madden et s'écria enthousiasmée :

— N'était-ce pas une merveilleuse création?

— Oui, merveilleuse, répondit-il, et Bertram lui-même est emballé. Il dit qu'il attendait beaucoup de Nancy, mais qu'elle a dépassé son attente.

Dans l'intonation de sa voix, elle discerna une résolution et une volonté de renoncement qui provoquèrent chez elle une impression de soulagement et aussi de profonde tristesse. Elle savait bien qu'il respecterait l'engagement qu'il avait pris envers elle d'aller jusqu'au bout de leur devoir. Devant la loge de Nancy elle fut arrêtée par Bertram, dont la massive carrure lui barrait la porte. La cordiale expression de son visage semblait proclamer qu'il s'agissait d'une chose tout à fait normale, d'une réaction bien naturelle chez une artiste qui vient de subir une tension extrême. En effet, on entendait Nancy, en cette heure d'éclatant triomphe, qui sanglotait éperdument.

XX

Le lendemain matin, Nancy s'éveilla avec la pleine conscience de son succès. Durant quelques minutes, elle resta confortablement étendue à rêver, et à respirer le parfum des fleurs qu'elle avait reçues au théâtre et qui apportaient dans sa chambre une note tropicale. Une expression lointaine passant sur son joli visage, elle évoquait les rapides événements de la veille.

Elle se sentait presque effrayée à l'idée que le triomphe qu'elle avait désiré, en vue duquel elle avait tant travaillé, était enfin venu, mais elle ne se laissait pas emporter par les illusions. Elle discernait que cette création était infiniment supérieure à tout ce qu'elle avait fait jusque-là. Peut-être était-on sérieusement en droit de dire qu'elle avait été remarquable. Cependant, elle ne s'en faisait pas accroire. Auparavant, sa vanité se serait longuement attardée à savourer le merveilleux succès. A présent, elle avait changé. Elle reconnaissait qu'elle devait sa réussite à la douleur, à la souffrance qui l'avait mûrie, et qui avait libéré les forces secrètes de sa nature. Elle ne jouait pas son rôle; pour la première fois, elle le vivait. Et, avec une humilité qui lui était inhabituelle, elle priait maintenant pour qu'il lui fût donné de persévérer dans cette voie.

Mais seule une ombre légère, sur son front, trahissait ce profond travail intérieur. S'asseyant dans son lit, elle alluma une cigarette et fuma pensivement. Puis elle sonna pour le déjeuner.

La rapidité et la déférence avec lesquelles s'effectua le

service furent pour Nancy une nouvelle preuve de la considération qu'elle s'était acquise. Deux garçons et une femme de chambre accoururent sans bruit, comme si depuis des heures ils avaient attendu qu'elle donnât signe de vie. En un instant, les rideaux furent tirés, les fleurs arrangées et la table roulante avancée près du lit, avec sa nappe immaculée, son argenterie, les jus de fruits glacés, le thé bouillant et les toasts.

Adossée à ses oreillers, elle parcourut les journaux. Les superlatifs pleuvaient. A plusieurs reprises, la représentation était célébrée comme la meilleure de la saison, et tous les critiques rivalisaient d'éloges pour Nancy.

Le téléphone sonna. Le premier appel venait de Bertram.

— Bonjour, Nancy, j'espère que tu es bien reposée...

Il y avait dans sa voix une sollicitude paternelle et beaucoup de tendresse.

— Bien, très bien, mon enfant. As-tu déjà lu les journaux?

— Oui, monsieur Bertram.

— Contente?

— Oui, bien sûr, répliqua Nancy, les yeux perdus au loin.

— Je l'espère! Ha! Ha! Tonnerre!

Le rire retentit le long du fil, puis Bertram redevint sérieux.

— Écoute-moi, Nancy. Tu es maintenant arrivée, et tu le sais. Tu es arrivée d'un seul coup, et brillamment. Écoute, je m'occupe de tout; ton rôle sera modifié et amplifié. Je serai de bonne heure au théâtre, mais je voudrais d'abord déjeuner avec toi. Et maintenant, mets-toi bien dans la tête ce que je vais te dire, et ouvre tes deux oreilles. On va te bombarder de toutes les offres possibles. Ne signe rien, pas le moindre petit papier, sans me l'avoir montré! Compris? Rien avant de m'avoir demandé conseil. Et maintenant, au revoir. Nous nous verrons à une heure.

En raccrochant le téléphone, Nancy souriait d'un air rêveur. Mais quand la porte s'ouvrit, elle eut vite repris une figure triomphante. Elle rendit à Catherine son baiser, et répondit à ses questions avec enjouement.

— Mais naturellement Catherine, j'ai admirablement dormi. Que pensais-tu? Des cauchemars? Ah! chérie, sois gentille et réponds au téléphone. Ça n'arrêtera pas : des offres, des parfums gratis, de la poudre gratis, des photographies. Toute la Cinquième Avenue y passera.

Catherine prit l'écouteur et le couvrit de sa main.

— Mme Lilien de la 57me Rue. Tu dois savoir...

— Oui, je sais, dis que je viendrai, que madame... c'est moi... aimerait bien voir ses dernières créations de mode...

Lorsqu'elle eut fait la commission, Catherine s'assit sur le bord du lit, et considéra Nancy avec une expression amusée.

— Pour une étoile, tu ne perds pas la tête, déclara-t-elle enfin. N'es-tu donc pas du tout énervée?

Nancy, qui était en train de boire un jus de fruit, plongea le nez dans son verre, et fixant Catherine de ses grands yeux, elle fit un geste de négation d'une parfaite drôlerie.

— Pourquoi énervée? J'ai vu venir les choses depuis longtemps. C'était ce que je voulais. Maintenant, je l'ai, je suis lancée. Et crois-moi, je ne vais pas m'endormir à mi-chemin.

— Ne t'y fie pas trop, dit lentement Catherine.

— Chérie! Dois-je prendre des airs modestes et embarrassés? Non, sois tranquille, sois gentille et aide-moi à enlever ce plateau. Ne suis-je pas jolie? Ne voudrais-tu pas étendre le bras et me passer mon nécessaire de manucure?

Docilement, Catherine se leva et obéit. Elle n'aurait su dire pourquoi, mais l'attitude de Nancy la surprenait. A la dérobée, elle considérait sa nièce, son joli visage étroit, ses pommettes hautes, ses sourcils épilés, et ce beau corps vigoureux qui se détendait dans le lit, souple comme celui d'un jeune animal.

Le téléphone sonna de nouveau et Catherine répondit.

— C'est M. Carl Morris, de la *Vestris*, expliqua-t-elle. Il demande un rendez-vous.

Nancy se pencha en avant.

— Morris, s'écria-t-elle, Morris, de la *Vestris-film!*

Elle se mordit les lèvres, ce qui était toujours chez elle le signe d'une réflexion intense et rapide.

— Quand veut-il venir?

— Aussitôt que possible.

— Disons onze heures.

Le rendez-vous fixé, Nancy retourna à son jus d'orange.

— C'est un personnage très important, n'est-ce pas? demanda Catherine.

— Morris! Mais c'est, je crois, l'homme le plus puissant de Hollywood. La moitié de la *Vestris* et une demi-douzaine d'autres compagnies lui appartiennent. Il jongle avec les millions; c'est une manière de bon Dieu du cinéma. Il possède son firmament personnel, clouté d'étoiles à lui, qui scintillent au loin. De temps en temps, il en crée une nouvelle et l'ajoute à son stock.

Catherine la regarda d'un air interrogateur. Il y avait dans le ton de Nancy une nuance nouvelle qui la frappait. Car il n'était pas dans sa nature de tourner en dérision l'Olympe de Hollywood.

Elles se turent.

— Bien, dit enfin Catherine, je vais faire quelques courses.

Elle eut un sourire.

— Je te laisse donc à M. Morris.

Un quart d'heure plus tard, elle quittait l'hôtel.

Nancy ne se pressait nullement, et lorsqu'elle sonna la femme de chambre, à dix heures et demie, ses mouvements ne trahissaient aucune hâte. Elle enfila une légère robe de chambre par-dessus son élégant pyjama, soigna minutieusement son visage et sa chevelure, et fit porter toutes ses fleurs au salon où elle se rendit elle-même.

Allongée sur le divan, elle n'eut pas longtemps à attendre. A l'heure précise, Morris était là. Contrairement à la légende qui veut que tous les directeurs de Hollywood soient grands, gros et bruyants, c'était un homme maigre, alerte et discret.

Il entra en coup de vent, comme quelqu'un qui a peur de manquer le train. En claquant les talons à la façon des Allemands, il se pencha sur la main de Nancy; il tira une chaise près du divan, s'assit, et se mit à considérer la jeune fille d'un regard insistant. Il resta un moment sans rien dire, et parut satisfait de son examen. Ses narines se gonflèrent pour humer le parfum des roses. Tirant un étui d'or massif, il alluma une cigarette turque. Puis il se renversa sur son siège avec les airs d'un artiste qui va s'attaquer à l'exécution de son chef-d'œuvre.

— Charmante, charmante, constata-t-il avec un geste bienveillant de la main. On en ferait quelque chose. Qu'en diriez-vous, miss... comment?... Sherwood? Pour la société des films *Vestris!* Publicité, publicité, rien ne vaut la publicité.

Avant qu'elle eût pu répondre, il se pencha en avant et poursuivit avec une ardeur croissante.

— Écoutez, miss Sherwood, je suis un homme qui mène les affaires rondement. Tous ceux qui connaissent Carl Morris le savent. Vous comprenez pourquoi je suis ici?

— Je le devine, répliqua Nancy d'un ton impassible, en le regardant dans les yeux.

Morris secoua la tête.

— Bien! Nous commençons à nous entendre. Vous avez eu un grand succès, n'est-ce pas?

— Ce n'est pas encore celui que je compte atteindre.

Morris eut un geste d'assentiment.

— De mieux en mieux! J'aime l'ambition chez ceux avec qui je travaille. Écoutez, mon enfant, jouons cartes sur table. J'étais hier soir au théâtre, vous m'avez plu. J'avais toutefois besoin de vérifier ma première impression. C'est pourquoi je suis ici ce matin. Maintenant, je suis complètement rassuré.

Il y eut un silence impressionnant.

— Je vous engage.

Nancy ne répondit rien. Son regard impénétrable restait braqué sur le petit Morris, qui se penchait vers elle avec des airs confidentiels, et lui tapotait le genou avec un aimable sans-gêne.

— Vous savez, mon enfant, ce que je puis. Je puis faire de vous une star comme Garbo ou Hepburn. Je puis vous transformer en vedette. Et je le ferai. Vous savez qui je suis? Carl Morris. Je sais ce que je dis. Si je veux quelque chose, c'est instantanément réalisé. L'argent ne joue aucun rôle. Pour former la Herman, j'ai dépensé un million. Maintenant, elle m'en rapporte dix et davantage. Avez-vous vu son dernier film? Simplement fabuleux. De l'art, du drame, de la passion, tout; rien que pour la scène des fiançailles, le lit de l'empereur Napoléon, authentique, pas du toc, m'a coûté trente mille dollars.

Il tira sur sa cigarette et continua, toujours plus important :

— Donc, écoutez, miss Sherwood. Nous serons de bons amis. Venez ce soir chez moi. Si, si, vous n'avez rien à craindre. Vous ferez la connaissance de ma femme et de ma petite Sophie. Si je suis un grand homme d'affaires, je suis aussi un bon père de famille. Il vous faut voir ma petite Sophie. Ce serait une deuxième Shirley Temple, si je le voulais. Ainsi venez, mon enfant. Nous parlerons de tout cela. Peut-être voulez-vous un contrat à long terme?

Un contrat avec Morris! Nancy ne savait que trop ce que cela signifiait. C'était l'ascension, le sommet, le paradis! Il s'occuperait de tout et satisferait ses moindres désirs : argent, publicité, tout ce qui pouvait la mettre en valeur. Bien, elle signerait le contrat. Hollywood ne pouvait nuire à sa carrière de théâtre, elle serait intraitable sur ce point. Ses yeux erraient très loin. Elle avait lutté et vaincu, et d'un seul bond, elle parvenait à la gloire.

Ils bavardèrent encore pendant vingt minutes. Après qu'ils se furent mis d'accord sur les points essentiels de leur traité, le petit homme se leva, claqua de nouveau des talons et disparut.

Alors Nancy perdit son calme. Prise de vertige, elle se recroquevilla sur elle-même. Ce comique bonhomme, avec toute sa puissance et ses millions, avait foi en elle, et sous son habile direction, elle allait connaître la gloire. En dépit de sa maîtrise, elle eut soudain le sentiment qu'elle allait devenir folle. Pressant très fortement sa main contre son front, elle s'efforçait en vain d'étouffer les sanglots qui lui montaient à la gorge.

Tandis qu'elle se débattait ainsi, l'inexorable téléphone se remit à sonner. Nancy l'aurait volontiers jeté dans un coin. Mais le bureau annonçait que Madden l'attendait en bas.

Cette nouvelle la fit pâlir, et elle resta un instant, les lèvres tremblantes, à se demander ce qu'elle allait répondre. Depuis qu'elle avait surpris la conversation de Madden avec Catherine, elle n'avait pas revu seul son fiancé. Et il était là...

— Faites monter, dit-elle d'une voix ferme, et dans un instant envoyez deux cocktails au champagne.

Elle serra nerveusement ses mains l'une contre l'autre. Durant les quelques minutes qui lui restaient, elle lutta de toute sa volonté pour trouver l'attitude qui s'accorderait le mieux avec la décision qu'elle avait prise. " Mon Dieu, pria-t-elle, donnez-moi la force de jouer ce rôle jusqu'au bout! "

Lorsque Madden entra, elle s'avança à sa rencontre, les mains joyeusement tendues.

— Mon désir est exaucé, s'exclama-t-elle en renversant la tête. Tu arrives au bon moment, Chris! J'ai une merveilleuse matinée derrière moi. Félicite-moi!

— Pourquoi donc? Un nouveau succès?

Elle fit signe que oui.

— Un contrat avec Morris.

Il la contempla de haut en bas, avec sa réserve coutumière.

— Oui, poursuivit-elle, j'ai été si occupée ce matin, que je n'ai même pas trouvé le temps de m'habiller. Il est vrai que c'était là la meilleure tenue pour recevoir un magnat d'Hollywood. Ne me trouves-tu pas jolie?

— Certes, répliqua-t-il avec un bon sourire. Tu ne le sais que trop. Et Morris s'est laissé séduire?

Elle rit.

— Tu aurais dû voir. Une vraie scène de théâtre! Le petit Morris, qui a quatre pieds de haut, récitait son monologue : " J'ai besoin de vous, miss Sherwood. Pas pour le lit de Napoléon qui m'a coûté trente mille dollars. Mais je vais faire de vous une étoile. Et vous serez présentée à Sophie, qui serait, si je le voulais, une seconde Shirley Temple.

Venez, mon enfant. Si, si, vous n'avez rien à craindre. Peut-être désirez-vous un contrat à long terme? "

Elle singeait le petit homme à la perfection et paraissait prendre à ce jeu tant de plaisir qu'elle tarda à répondre au garçon qui apportait les cocktails.

— Mettez ça là, dit-elle en riant encore, et montrant la table près du divan, où elle prit place dès que la porte se fut refermée.

— Nous n'avons pas pu parler de la nuit dernière, Chris. Enfin, nous sommes un instant seuls. Buvons à mon succès, et ne prends pas cet air désapprobateur. Tout va si parfaitement bien!

Elle avala son cocktail d'un coup, tandis qu'il buvait le sien plus posément. Le jour était gris et trouble, une agréable chaleur régnait dans la chambre.

— Je suis terriblement énervée, Chris! déclara-t-elle. J'ai l'air très calme mais, au fond, je ne le suis pas. Et il faut que tu sois gentil avec moi! Car j'ai quelque chose à te dire qui ne t'enchantera pas.

Il posa son verre et tourna son visage vers elle. Il avait l'air surpris.

— Qu'y a-t-il donc, Nancy?

Elle se tut un instant.

— J'ose à peine te le dire.

— Pourquoi donc? répliqua-t-il amicalement. Oublies-tu que nous serons mariés dès samedi?

Il y eut un nouveau silence. Puis elle dit :

— C'est de cela, justement, qu'il s'agit, Chris!

— Mais, Nancy! Au nom du Ciel, où veux-tu en venir?

Elle prit une cigarette et aspira profondément la fumée.

— Cela me fait de la peine, Chris, une peine profonde. Soyons francs... Je préférerais... Vraiment, je préférerais... de quelque temps... ne pas me marier.

Le visage de Madden se durcit. Il fronça les sourcils et ses lèvres pâlirent. Il semblait foudroyé.

— Tu m'avais promis que nous nous marierions samedi?

— Oui, je sais. Mais depuis hier soir, tout est changé. Mes actions sont montées à des hauteurs vertigineuses. Je serai simultanément liée par contrat à Bertram et à Morris. Je n'ai pas le temps d'être mariée. Dans les circonstances actuelles, je me dois uniquement à ma carrière.

Elle atténua par un tendre sourire la brutalité de sa déclaration et poursuivit :

— Ah, comprends-moi bien, Chris ! Je t'aime beaucoup. Mais tu vois bien que la situation n'est plus la même. Lorsque nous nous sommes connus à Nice, j'étais encore à mes débuts. Je traversais une période grise. Je me suis attachée à toi, car j'avais besoin de quelqu'un qui s'occupât de moi. Mais maintenant, je tiens ma destinée entre mes mains. Oh ! Chris, ne crois pas que je t'aie retiré mon affection ! Pour rien au monde, je ne voudrais te causer du chagrin. Mais ne reconnais-tu pas que tout est devenu pour moi bien difficile ?

— Difficile..., répéta Madden d'un ton amer. Tu ne sais même pas ce que ce mot signifie. Veux-tu dire que parce que tu as maintenant du succès, tu ne veux plus te marier ?

— Nous pouvons tout de même attendre, répliqua-t-elle d'une voix hésitante.

Les yeux de Madden se firent plus durs encore.

— Attendre ? répéta-t-il. Tu m'as déjà fait attendre partout comme un petit commissionnaire. Je devais être là pour porter tes gants, te chercher des fleurs, te conduire au restaurant, quand la lubie t'en prenait et maintenant, je devrais...

Ici, il éleva le ton.

— ... Je devrais te courir après à Hollywood, et jouer au chien de manchon quand tu sortiras du studio. N'y compte pas, Nancy ! Je l'ai fait pendant des semaines, mais ce n'est pas mon genre. Je ne t'ai pas demandé d'être ton petit chien, mais ton mari.

Elle garda le silence. Elle voyait arriver la crise qu'elle avait voulu provoquer. Mais rien, rien ne devait l'empêcher de mener à bien ce qu'elle avait décidé.

Puisque nous nous sommes trompés, Chris, déclara-t-elle lentement, soyons loyaux. Tu n'aurais sûrement pas supporté que je continue à faire du théâtre...

— Tu as raison, s'écria-t-il. Ce dont j'ai besoin, c'est d'une épouse, et non...

— N'ajoute rien, interrompit Nancy. Nous en avons assez dit comme ça...

Elle se leva brusquement et, lui tournant le dos, tira les dernières bouffées de sa cigarette.

Il la regardait fixement. Son visage était gris. Il semblait épuisé, était complètement désemparé. Il l'avait aimée; ou du moins, il avait cru l'aimer. Son amour n'était pas totalement mort. Il demeura longtemps silencieux. Puis il se souvint de la promesse qu'il avait faite à Catherine, et tenta encore une fois de combler l'abîme qui les séparait.

— Écoute, Nancy, est-il absolument nécessaire que nous nous quittions? Ne pourrions-nous faire un effort pour nous comprendre?

Elle se tenait toute droite, sans bouger.

— Ça n'a pas de sens, Chris! dit-elle en se retournant. J'ai vu venir ce moment depuis longtemps. Ma vie n'est pas la tienne. Nous nous aimons bien, mais cela n'y change rien. Nous devons renoncer l'un à l'autre. Je ne t'en veux pas, mais il faut en passer par là...

Il ne leur restait plus rien à se dire. Cinq minutes plus tard, il l'avait quittée et rentrait à son hôtel. Il allait d'un pas d'automate, plongé dans ses pensées, tiraillé entre des sensations contradictoires. Par un étrange phénomène, il n'éprouvait aucun soulagement. A sa déception s'ajoutait l'écrasante conviction d'avoir contrevenu, en une certaine manière, à la parole donnée à Catherine. Il n'arrivait pas à se représenter l'avenir.

Il ignorait que Nancy, demeurée à la même place, les lèvres tremblantes, luttait contre ses larmes.

XXI

Lorsque Catherine rentra, à cinq heures et demie, elle eut le sentiment qu'il s'était passé quelque chose. Nancy était en costume de ville et rentrait sans doute de son déjeuner avec Bertram. Bien qu'elle n'en laissât rien voir, Catherine devinait que Nancy n'était pas dans son assiette. D'abord elle ne dit rien, puis elle commanda le thé. Ce n'est que lorsque celui-ci fut servi qu'elle se tourna vers Nancy et lui demanda sur un ton d'affectueuse sollicitude :

— Alors, qu'y a-t-il? Est-ce que le contrat serait à l'eau?

Nancy fumait pensivement sa cigarette.

— Non, le contrat est signé.

— Mais alors, qu'y a-t-il?

Nancy se tut un instant.

— Pour parler en style de roman, chérie, déclara-t-elle enfin, je viens d'accomplir le plus grand sacrifice de ma vie.

— Sacrifice? répéta Catherine atterrée. Pour qui?

— Pour ma carrière, répondit Nancy en martelant les syllabes.

Catherine posa sa tasse et fronça le sourcil.

— Vas-tu enfin m'expliquer de quoi il s'agit?

Le regard de Nancy devint vague. Mais elle se contint.

— J'ai rendu sa liberté à Chris, dit-elle, et pour toujours.

Ce fut le silence de la consternation. Catherine fut prise d'un tremblement, son visage frémit. Puis il y eut en elle un tel ouragan de sentiments divers, colère, pitié, indignation et peur, qu'elle en demeura tout étourdie.

— Nancy, s'écria-t-elle sévèrement, cesse de jouer la comédie, et dis-moi enfin ce qui se passe!

Nancy avait les yeux fixés sur la braise de sa cigarette.

— Inutile de s'énerver, le sacrifice est accompli. Ou Chris, ou ma carrière. J'avais le choix. Or jamais, jamais, je ne renoncerai à ma vocation.

— Tu as pourtant toujours soutenu que tu pouvais concilier les deux choses, riposta Catherine.

— Maintenant plus, plus depuis hier soir.

Toute autre explication était superflue. Catherine comprenait parfaitement la situation, mais refusait de l'admettre. Elle insista.

— Tu ne peux pas faire cela, Nancy! Tu es un peu grisée par ton succès d'hier soir et par tous ces événements. Mais c'est du délire de renoncer à ton bonheur!

— Qui te dit que j'y renonce?

— Je le sais, répondit Catherine avec sérieux, et je suis capable d'en juger!

Nancy lui jeta un regard rapide et éloquent.

— Non, tu ne peux pas juger puisqu'il s'agit de moi. Une femme ne peut pas concilier le mariage et le théâtre. L'expérience a été tentée cent fois, et ça n'a jamais marché. Oh! oui, je sais bien ce que j'avais coutume de dire... Inutile de le ressasser. J'ai ménagé Chris. Mais avec toi, Catherine, je veux être tout à fait sincère. Ce changement, c'est la conséquence du succès. Tout s'ouvre devant moi, une carrière sensationnelle, le triomphe...

Sa voix prit une intonation sourde et étrangement lointaine :

— Je serai un jour une grande, une très grande artiste...

— N'en sois pas si sûre, déclara Catherine d'un ton tranchant. Beaucoup d'autres l'ont cru comme toi.

— Chez moi, c'est autre chose, répliqua Nancy rêveusement. Je monterai toujours plus haut. Prépare-toi à me voir un jour incarner Ophélie.

Catherine se souvint des paroles d'Izzard, le critique. Elle se sentit submergée par une vague de résignation; dans une suprême tentative, elle reprit d'une voix suppliante :

— Et si tu l'as enfin, ce grand triomphe, qu'adviendra-t-il? En seras-tu plus heureuse? Le succès ne fait pas le bonheur.

Je sais que cela te paraît insensé, et pourtant c'est vrai, terriblement vrai. Je suis plus âgée que toi, chérie, et je connais la vie. J'ai fait bien des expériences. Tu parles de ta carrière. Vois, moi aussi, j'ai fait une carrière, et je lui ai tout sacrifié. Crois-moi, ça n'en vaut pas la peine. Si je devais recommencer, je préférerais un foyer à moi, même dans le faubourg le plus pauvre, des enfants, et quelqu'un pour m'aimer dans mes vieux jours, plutôt que toute la gloire et toute la popularité du monde.

Catherine s'interrompit, un peu gênée. Impassible, Nancy la regardait avec une commisération mêlée d'arrogance.

— C'est ta façon de sentir les choses, dit-elle d'un ton distant. Moi, je les vois autrement.

— Tu t'en repentiras.

— Non, jamais! dit Nancy.

Un silence angoissant s'établit. Catherine dévisageait sa nièce avec des yeux attristés. Elle était consternée, mais elle ne s'avouait pas encore vaincue :

— Dis-moi, Nancy, n'aimes-tu donc plus Chris?

— Si, je l'aime bien. Mais pas assez. Il y a quelque chose qui me tient plus au cœur que sa présence. Et c'est pourquoi j'ai dû me séparer de lui.

— Je ne puis le croire, murmura Catherine, de toi moins que de personne.

Nancy se leva, et son visage demeura impénétrable.

— Je regrette que tel soit ton sentiment, chérie! C'est triste, mais il n'y a rien à faire. Chacun doit vivre sa vie. J'ai choisi cette voie. Et c'est tout!

Elle regarda sa montre, repoussa ses cheveux en arrière d'un geste tranquille et entra dans sa chambre à coucher.

— A sept heures, je dois être au théâtre.

— Nancy! s'écria Catherine sur un ton de prière.

Mais Nancy ne l'écoutait plus. La porte s'était fermée avec un bruit sec. Ce bruit, où se résumaient tant d'efforts inutiles, atteignit Catherine au cœur. Elle avait fait l'impossible pour amener Nancy à revenir sur sa décision, elle avait échoué. Peut-être avait-elle tort, mais Nàncy lui semblait une enfant gâtée et fantasque, qui ruinait sa vie et se jetait étourdiment dans le malheur, les bras tendus vers les bulles de savon de ses illusions, les yeux éblouis par leurs reflets irisés.

Elle frissonna. Avec une tristesse attendrie, elle évoquait le jour où Nancy, petite créature abandonnée, était venue à elle. Elle était brisée, mais ses yeux étaient étrangement secs. De combien d'amour n'avait-elle pas comblé sa nièce! Que de plans forgés, que de sacrifices consentis dans l'espoir de la rendre heureuse!

Son chagrin s'exhala dans un profond soupir. Son cœur saignait à l'idée que Nancy avait abandonné Chris. Elle avait l'impression désespérante de les avoir perdus tous les deux... Il ne lui restait rien, que le sentiment douloureux de son impuissance.

XXII

Samedi soir. La chambre de Catherine, pleine de papiers d'emballage, de portemanteaux, de couvertures, présentait le spectacle mélancolique d'un départ précipité. Les gros bagages étaient déjà expédiés, et Catherine venait de renvoyer la femme de chambre. Elle s'était assise un instant pour se reposer, et ses regards erraient dans la pièce en désordre. Le tapis était jonché de débris, les vases vides, les fleurs achevaient de se faner sur le bord de la fenêtre. Ce tohu-bohu apparaissait à Catherine comme l'image même de sa vie. En vain, elle se disait que tout serait remis en place en un clin d'œil, nettoyé, aéré et rafraîchi. Hélas! ce serait pour un autre voyageur...

Dans trois heures, elle devait repartir avec le *Pindaric*, le même vieux bateau fidèle qui l'avait amenée. A ses yeux, ce simple fait était une preuve typique de l'inanité de ses courses errantes à travers l'existence. Upton se rembarquerait avec elle. Avec cette complaisance qui lui était naturelle, il s'était rendu un moment auparavant au bureau de la compagnie pour lui prendre son billet, car elle ne s'était préoccupée qu'à la dernière minute des formalités du voyage.

Elle devait reconnaître une fois de plus que la sollicitude de Charley lui était infiniment précieuse. C'était un gentil garçon et un bon ami. Mais elle savait pertinemment qu'il ne pourrait jamais être autre chose pour elle. Charley était beaucoup trop indécis, trop léger, trop émotif pour la dominer. Il avait besoin d'un être qui le subjuguât et qui sût, à force de droiture et de simplicité, l'éveiller à l'amour.

Madden, elle l'aimait de toute son âme, d'un amour dont elle n'avait jamais été capable auparavant. Elle ne cesserait jamais de l'aimer. Ce serait donc son destin, comme celui de la triste Lucie de Quercy, de porter éternellement une peine secrète au fond du cœur. Pour penser à lui, elle faisait appel à tout son bon sens et à toute sa raison. Elle ne l'avait pas revu depuis le soir du triomphe de Nancy, et savait seulement qu'il avait quitté son hôtel. Le fait qu'il n'était pas revenu la voir ne l'étonnait pas. Peut-être l'avait-elle tout d'abord attendu sans bien se l'avouer. Mais elle se disait maintenant que la situation était trop embrouillée pour un dénouement aussi simple. Des sentiments par trop délicats étaient en jeu. L'attitude de Nancy avait dû le blesser mortellement et bouleverser sa vie intérieure.

Elle était fermement convaincue qu'il était déjà reparti pour Cleveland, qu'il en avait assez de subir des caprices de femmes, et qu'il avait décidé, une fois pour toutes, de mettre le point final à ce douloureux chapitre de son existence. Son regard tomba sur le téléphone. Ce petit instrument était tout indiqué pour rétablir le contact entre Madden et elle; mais elle eût préféré mourir plutôt que d'y avoir recours. Sa fierté le lui interdisait. Ne lui avait-elle pas elle-même signifié son congé? Non, non! S'il ne revenait pas de son propre mouvement, il n'avait qu'à rester où il était. Une séparation nette et définitive, telle était la meilleure des solutions. Pour elle aussi, c'était l'unique chance de salut.

Sans doute l'aurait-il vite oubliée. Il épouserait une jeune Américaine qui saurait le rendre heureux. Catherine frissonna au souvenir du petit épisode de sa propre vie qui lui revenait à la mémoire. George Cooper ne l'avait pas pleurée longtemps, Madden suivrait son exemple... Sans amour et les mains vides, elle suivrait jusqu'au bout son chemin solitaire.

Elle se leva lentement, rassembla ses forces et se mit en devoir d'emballer ses derniers effets. Nancy était en train de répéter, et il était peu probable qu'elle pût se libérer avant l'heure du départ. De penser à Nancy, son cœur était doublement lourd : Nancy paraissait tout à coup si changée, si lointaine. Elle ne lui parlerait plus de Madden et de ses propres soucis, à elle qui dans un coup de tête avait sacrifié l'amour à son art.

Le succès de sa nièce était assuré. Il irait en s'affirmant sans cesse, et sa carrière se présentait sous les plus brillants auspices. Ce n'était pas en vain qu'elle avait abandonné Madden. Le contrat avec Morris était signé; au printemps, elle se rendrait à Hollywood avec des appointements qui dépassaient de loin ses rêves les plus audacieux. En dépit de son engagement avec Morris, elle restait dans les meilleurs termes avec Bertram, qui continuerait à être son *manager* lorsqu'elle remonterait sur la scène. Déjà, celui-ci avait remanié la pièce pour mettre Nancy mieux en valeur. Il était plein d'enthousiasme et caressait toute sorte de beaux projets. Il lui réservait la vedette dans sa prochaine tournée, et sous le titre : " Une nouvelle étoile monte à l'horizon ", il avait communiqué aux journaux une interview, dans laquelle il n'était question que de son extraordinaire découverte. Découverte dont il s'attribuait tout le mérite.

D'un geste définitif, Catherine fit claquer la serrure de sa valise. Tout était fini. Il ne lui restait plus qu'à donner ses instructions au portier, et à s'en aller sans rien dire. Un silence insolite emplissait la pièce. De l'autre côté du couloir, la musique d'un poste de radio parvenait à ses oreilles, une musique irréelle, qui était à la fois étrangère et familière. Involontairement, elle écouta et son cœur se serra. C'était l'air sur lequel ils avaient dansé ensemble, Madden et elle, à bord du *Pindaric*. Des paroles niaises et une mélodie sentimentale... Les larmes lui montèrent aux yeux, mais elle les contint. Du courage! C'était tout ce qui lui restait. Cependant la musique n'arrêtait pas, et cette ritournelle monotone crispait ses nerfs endoloris.

Elle mit son chapeau et son manteau. D'un dernier regard, elle fit le tour de la chambre, puis s'apprêta à partir. Les membres lui pesaient, et sa tête était vide. Elle passa dans le salon, et là, sur le seuil, se tenait Madden.

Son cœur s'arrêta; puis il commença à battre follement. Cette vision était si inattendue et si douloureuse qu'elle se crut victime d'une hallucination. Pourtant, c'était bien lui. D'un air grave et calme, il vint à sa rencontre.

— Je ne pouvais pas te laisser partir, lui dit-il sur un ton de cordialité tranquille, sans t'avoir dit adieu.

C'était donc cela! Il n'était venu que pour prendre congé. Le pouls de Catherine se mit à battre plus lentement. Une sensation de froid étrange lui traversa tout le corps.

— En somme, poursuivit-il d'un air dégagé, il y a longtemps que nous avions convenu d'être de bons amis. Quittons-nous donc bons amis.

Le visage de Catherine était pâle et éteint.

— Oui, murmura-t-elle péniblement, séparons-nous en amis.

— Je l'espère bien!

Il regarda tout autour de lui avec surprise.

— Où est Upton?

— Déjà parti, répliqua-t-elle sourdement.

— Oh! quel dommage! J'aurais bien voulu lui serrer la main, à lui aussi.

Elle baissa la tête et ses yeux demeuraient rivés au parquet. Une rougeur lui monta au visage. Cette bonne humeur forcée qu'elle ne lui avait jamais vue était pour elle une torture. Elle fit appel à toute sa fierté.

— Je le lui dirai.

— Merci, Catherine. Il a de la chance de faire route avec toi.

— Tu trouves?

Ces paroles, dans lesquelles elle mettait toute la désinvolture dont elle était capable, la faisaient intolérablement souffrir. Ils se turent. Elle sentait que si l'épreuve se prolongeait, elle en mourrait. Relevant la tête avec peine, elle se força à le regarder en face :

— Oui, dit-elle, il faut maintenant que j'aille. Je pense que nous n'avons plus rien à nous dire.

Il l'arrêta de la main.

— Pardon! un instant encore.

S'asseyant sur le bord de la table, il eut un geste nonchalant pour tirer un paquet de sa poche.

— Avant la séparation, je désire te remettre un petit souvenir.

Prise à son propre jeu, elle le regarda d'un air de tristesse étonnée; puis, d'un mouvement mécanique, elle saisit le paquet qu'il lui tendait. Sous ses doigts, la ficelle se dénoua et le papier tomba. Ahurie, elle reconnaissait l'écrin vert et elle l'ouvrit. Il contenait la miniature de Holbein.

— Toi! s'écria-t-elle, c'était donc toi!

— Pourquoi pas? répliqua-t-il d'un ton détaché. Je puis m'offrir ça.

Elle était suffoquée. Dans un éclair, elle comprit que c'était lui qui, par son intervention, l'avait sauvée de la ruine. A la nouvelle de la mort de Brandt, il avait pris la chose en main par l'intermédiaire d'Ascher. Et maintenant? Consternée par cette révélation et par la tournure qu'avait prise la conversation, elle se sentait incapable de penser, et luttait contre les larmes.

Il secoua la tête.

— Tu ne savais pas très bien à quoi t'en tenir sur mon compte, n'est-ce pas, Catherine? A Londres d'abord, et puis à Vermont. Or, je ne suis pas pauvre. Non, je suis même riche, très riche, si riche que je n'ai pas besoin de le paraître. Je ne suis pas simplement propriétaire d'une petite usine dans laquelle j'aurais fait mes débuts. En ces dix années, je me suis élevé à la force du poignet. Avant mon départ pour l'Europe, j'ai réussi la dernière opération de fusion. Si cela t'intéresse, Catherine, je suis aujourd'hui président du Trust international des Colles.

Stupéfaite, elle le contemplait. Ce nom qu'il venait de prononcer lui coupait le souffle. C'était une société gigantesque, une organisation de réputation universelle. De la côte occidentale à la côte orientale, d'innombrables affiches évoquaient sa puissance. Elle englobait tout, fabriquait tout ce qui contient de la colle, depuis les pains à cacheter jusqu'au sparadrap. A New York et à Londres, ses actions étaient recherchées en bourse. Catherine se rappelait vaguement ces photographies d'immenses installations : de grandes usines, des fonderies, des tanneries, des entrepôts et des ateliers d'emballage, des cantines et des locaux pour les employés, des terrains de sport, un stade, une piscine. Et lui Madden, qu'elle avait tenu pour pauvre, il était à la tête de tout cela, et il contrôlait cette énorme entreprise. Dans l'état de trouble où elle était, cette découverte dépassait son entendement.

— Il faut maintenant que je parte, murmura-t-elle; Charley attend.

Les yeux vides, la tête baissée, elle reposa la miniature sur la table et se dirigea vers la porte.

Alors il lui barra le passage. Une complète métamorphose s'était opérée en lui. Comme on jette un masque, il avait dépouillé son air indifférent et léger. Une profonde tendresse animait son visage et ses yeux rayonnaient.

— Upton ne t'attend pas, dit-il. Il prend l'avion de nuit pour la Floride. Mais deux places sont tout de même retenues sur le bateau, la tienne, Catherine, et l'autre pour moi.

Elle poussa un cri.

— Chris!

Il la regarda dans les yeux et d'une voix lente :

— Croyais-tu donc que j'allais réellement te laisser partir? Après que Nancy a tout fait pour nous rapprocher?

Elle était stupéfaite.

— Je ne comprends pas.

— Écoute, Catherine, poursuivit-il de la même voix lente, Nancy a su que nous nous aimions. Elle l'a découvert peu avant la première représentation, et elle s'est montrée à la hauteur de son destin. Toute la noblesse de son caractère s'est subitement révélée. Elle a fait ce qu'elle tenait pour bon, et ce fut vraiment la meilleure solution.

Soudain la situation apparut à Catherine sous un jour tout nouveau.

— Nancy! balbutia-t-elle.

Il fit signe que oui.

— C'est Bertram, dit-il, qui m'a ouvert les yeux. Et alors, j'ai compris. Il m'a expliqué que cette crise allait marquer pour Nancy le début de sa véritable ascension. Elle atteindra les plus hauts sommets de l'art, et elle jouera Ophélie, c'est certain. Mais nous, nous n'oublierons jamais ce que nous lui devons.

Maintenant les larmes ruisselaient sur les joues de Catherine et l'aveuglaient. Il lui semblait que son cœur allait éclater. Alors, elle se jeta dans les bras de Chris. Il la garda serrée contre lui et il sentait le tumulte de son cœur contre sa propre poitrine. Il lui parla doucement pour la calmer.

— Oui, maintenant tout est en ordre, chuchota-t-il d'une voix caressante, et nous nous marierons dans ta vieille petite église, au coin d'Old Inn Yard. Car bien que je l'aie toujours pressenti, c'est là que j'ai découvert, pour la première fois, que je t'aimais. Nous resterons quelque temps à Londres, nous liquiderons ton affaire, et nous retournerons à Vermont. J'y connais des personnes qui seront diablement contentes de t'avoir. Et ensuite, peut-être auras-tu envie de venir aussi à Cleveland? Il y a là des endroits ravissants, tout en haut de la colline. Nous pourrions nous y construire une maison, la maison de notre bonheur...

Elle ne disait plus rien; son cœur débordait. Elle pressa sa joue contre le manteau de Chris et, à ce moment, son regard tomba sur la miniature. Elle gisait toujours sur la table dans son écrin ouvert. Une nouvelle vague de bonheur et de soulagement submergea Catherine. Comment avait-elle pu s'imaginer que son destin était lié au deuil qu'évoquait cette image! Son destin à elle, c'était la joie. Tout le reste n'était qu'une création de sa fantaisie, un cauchemar qui ne reviendrait plus. Non, elle n'était pas née pour la solitude. Les yeux de Lucie de Quercy étaient fixés sur les siens. Ils étaient pleins de tristesse, mais sans envie, et comme baignés d'un lointain sourire.

***

Deux heures plus tard, ils étaient sur le pont supérieur du *Pindaric* et ils contemplaient les édifices géométriques de New York, sa silhouette étincelante qui se détachait très haut sur le ciel. La nuit était douce, sereine et claire animée seulement par le jeu des vagues et le rythme léger des hélices. Au-dessus de leurs têtes, la lune projetait un grand halo de lumière, et ses rayons dessinaient sur les flots une longue route chatoyante et claire sur laquelle le navire glissait d'un élan tranquille. Ils étaient debout l'un près de l'autre appuyés au bastingage, et Madden tenait Catherine serrée contre lui. Ils n'avaient plus besoin de paroles. Un *steward* s'approcha d'eux.

— Qu'y a-t-il? demanda Chris.

— J'ai reçu l'ordre, répondit l'homme, de vous remettre ceci personnellement, monsieur.

Madden défit le ruban et ouvrit la boîte. Puis il la remit en silence à Catherine.

Un bouquet de merveilleux œillets resplendissait au clair de lune. La petite carte qui l'accompagnait portait ces simples mots, signés de Nancy :

“ Soyez heureux! ”

IMPRIMÉ EN FRANCE PAR BRODARD ET TAUPIN
6, place d'Alleray - Paris.
Usine de La Flèche, le 04-05-1970.
1358-5 - Dépôt légal nº 9201, 2e trimestre 1970.
1er Dépôt : 3e trimestre 1953.
Le Livre de Poche - 6, avenue Pierre 1er de Serbie - Paris.
30 - 11 - 0030 - 17

30/0030/